O BOOM DA ÍNDIA

O Espantoso Desenvolvimento e Influência da Índia Moderna

JOHN FARNDON

PLÁTANO EDITORA

Título: O BOOM DA ÍNDIA

Autor: John Farndon

Tradução: Isabel Ferreira · Margarida Ramos

Foto capa: casa da imagem

1.ª edição – E-3912-08 – Maio de 2008
ISBN: 978-972-770-643-3
Impressão e acabamento: PERES, S.A.
        Dep. Legal n.º 276 811/08
© Direitos reservados para a língua portuguesa
Plátano Editora, S.A.
Av.ª de Berna n.º 31 – 2.º Esq.
1050-069 LISBOA
Tel:. 21 797 92 78 – Fax: 21 795 40 19
E-mail:geral@platanoeditora.pt

Distribuição: Paralelo Editora, S.A.
Rua Manuel Ferreira, n.º 1, A-B-C — Quinta das Lagoas
Santa Marta de Corroios – 2855-597 Corroios
Telef.: 212 537 258 · Fax: 212 537 257
E-mail: encomendasonline@platanoeditora.pt

R. Guerra Junqueiro, 452 – 4150-387 Porto
Telef.: 226 099 979 · Fax: 226 095 379

ÍNDICE

CHINA

⊙ Srinagar

Chandigarh
PAQUISTÃO

9
Símia
21
8
NOVA DELI
22   Jaipur ⊙

Dehradun

27

Lucknow
NEPAL

26

Ghaghra
Ganges

Yamuna
Chambai

MAPA POLÍTICO
DA ÍNDIA

Itanagar
Dispur

23
Gangtok

Brahmapura

Patna 4
Ganges

2

19
3
17 Shillong
Kohima
16
18 Imphal

Aizawai

Gandhinagar ⊙
7

Bhopal ⊙

Narmada

11
Raieti ⊙

14   5

28
KOLKATA
(Calcutá)

BANG
LADESH

Diu
Damão
Silvassa

15

Raipur ⊙

20

Mahanadi

MYANMAR
(BIRMÂNIA)

25

MUMBAI
(ombaim)

Godavari

Agartala
Bhubaneswar

⊙ Hyderabad
Krishna

Panaji
6

12

1

Bangalore ⊙

24 ⊙ Pondicherry
Coleroon

13

Trivandrum ⊙

CHENNAI
(Madrasta)

SRI
LANKA

— ESTADOS —

1. Andhra Pradesh   15. Maharashtra
2. Arunachal Pradesh   16. Manipur
3. Assam   17. Meghalaya
4. Bihar   18. Mizoram
5. Chhattisgarh   19. Nagaland
6. Goa   20. Orissa
7. Gujarate   21. Punjabe
8. Haryana   22. Rajastão
9. Himachal Pradesh   23. Sikkim
10. Jammu e Caxemira   24. Tamil Nadu
11. Jharkhand   25. Tripura
12. Karnataka   26. Uttar Pradesh
13. Kerala   27. Uttarakhand
14. Madhya Pradesh   28. Bengala Ocidental

INTRODUÇÃO

«A Índia assume uma crescente influência de poder económico no sistema internacional. É uma democracia multi-étnica fabulosa.»

Condoleezza Rice, Secretária de Estado dos EUA

«Presentemente, há uma enorme vontade, a nível internacional, de trabalhar com a Índia – e de construir relações de benefício mútuo.»

Dr. Manmohan Singh, Primeiro-Ministro da Índia

É fácil pensar na administração Bush como sendo persistentemente entusiasta na sua política externa e eternamente preocupada com o facto de algum poder asiático se estar a tornar ligeiramente superior. Todavia, em Março de 2005, Washington começou a fazer as mais extraordinárias propostas à Índia e anunciou que tinha planos para «ajudar o país a tornar-se uma das maiores potências mundiais do século XXI» – não que a maior parte dos indianos considerasse que precisava de ajuda, obviamente, mas o objectivo era claro.

Mais tarde, nesse mesmo ano, o Primeiro-Ministro indiano Manmohan Singh foi felicitado numa visita a Washington, onde foi recebido com uma salva de dezanove tiros sem precedentes. Em retribuição, na Primavera seguinte, George Bush fez uma visita cordial à Índia com honras de Estado. Num contraste dramático face à condenação do programa nuclear do Irão, Bush ofereceu, não só defesa verbal, mas também defesa prática às aspirações nucleares da Índia – embora com avisos de que talvez pudesse causar distúrbios.

Para termos uma ideia do quanto esta mudança de atitude foi notável, só temos de ler a posição do governo de Nixon para com a Índia trinta anos antes, revelada ironicamente no ano de 2005, quando os Arquivos de Segurança Nacional dos EUA foram finalmente abertos ao público. «Aquilo de que os indianos precisam», comentou Richard Nixon de forma chocante, «é de morrer à fome. São uns filhos da mãe», referiu Henry Kissinger, descrevendo Indira Gandhi como uma «cabra». Kissinger até incitou os chineses a invadirem a Índia. Mesmo o espírito mais aberto da administração Clinton tratou a Índia de forma um tanto bélica. Portanto, os braços abertos de Bush foram realmente uma mudança de maré.

Na verdade, isto não era um súbito rasgo de luz no pensamento americano, mas simplesmente um reconhecimento de algo que se tornou notório durante os últimos anos. A estrela da Índia está a brilhar. A economia está em expansão. A população está a aumentar. E tem-se tornado uma democracia madura; de longe, a maior a nível mundial. Se a Índia ainda não se tornou de facto a maior potência do mundo, parece tratar-se apenas de uma questão de tempo.

O crescimento da Índia

Nos últimos três anos, a economia da Índia tem vindo a aumentar mais de 8 por cento ao ano e alcançou três mil milhões de dólares. É já a sétima maior economia a nível mundial e é provável que se torne uma das três maiores durante os próximos vinte anos. Em breve, pode tornar-se no segundo maior mercado de consumo, com uma classe média em crescimento acima de quinhentos milhões.

Ao mesmo tempo, os indianos estão a começar a ter impacto no mundo pelo simples peso dos números. A população da Índia, que já atingiu 1,1 mil milhões, prepara-se para ultrapassar a da China e tornar-se o país mais populoso. Em 2030, poderá chegar a um surpreendente número de 1,6 mil milhões de pessoas, comparado com os reduzidos 1,4 mil milhões da China. E os indianos não são apenas numerosos no seu país. Depois da China, a Índia tem a segunda maior diáspora de qualquer nação e há indianos com influência em quase todos os países do mundo.

Como tal, quer o resto do mundo queira quer não, vai ter de interagir com os indianos num futuro próximo – e reconhecer a presença maciça do subcontinente. Muitas pessoas, no Ocidente, estão já a começar a sentir o efeito indiano, uma vez que as suas funções são «dadas a fazer» na Índia e as perguntas sobre tudo, desde as contas do telefone até aos serviço pós-venda, são respondidas por *call centres* em lugares como Mumbai e Bangalore. Mais de 40 por cento das maiores multinacionais estão agora a mandar fazer «o trabalho de bastidores» na Índia, onde existem mais licenciados do que a população inteira de França e onde são mais baratos (e ambiciosos). Entretanto, as principais empresas europeias e americanas estão a enfrentar, não só competição de rivais indianos, mas também aquisições hostis.

O que é a Índia?

Não é de estranhar que as pessoas no Ocidente estejam cada vez mais interessadas em descobrir o que faz a nova Índia sobressair e há uma enorme quantidade de livros, artigos e documentários a examinar a «ideia da Índia». É claro que as opiniões diferem, e, o único ponto em que todos concordam é em que a Índia é contraditória, enigmática e mesmo muito difícil de pressionar.

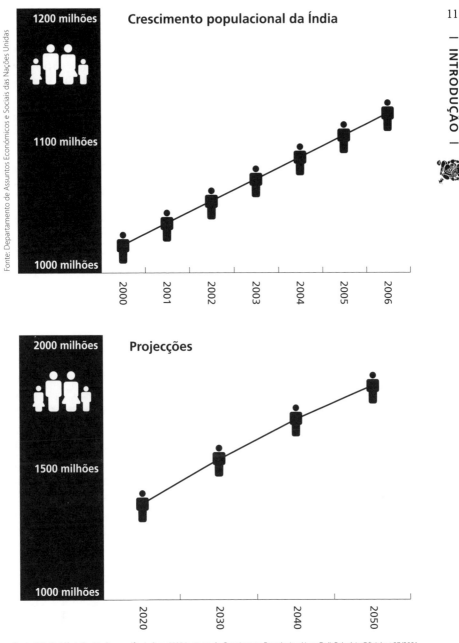

Fonte: Departamento de Assuntos Económicos e Sociais das Nações Unidas

Crescimento populacional da Índia

Projecções

Fonte: P. N. Mari Bhat, *Cenário Demográfico Indiano 2025*, Instituto do Crescimento Económico, Nova Deli, Relatório Oficial n.º 27/2001

Existe um grande número de contradições superficiais. A Índia tem uma capacidade nuclear completamente desenvolvida desde 1998, mas também tem 40 por cento de todas as crianças subnutridas do mundo. Combina a economia de retalho em expansão, aparentemente, com uma filosofia antimaterialista duradoura. É um dos principais agentes asiáticos na corrida ao espaço, embora seja dominada por uma espiritualidade ancestral. Está na linha da frente em algumas das tecnologias e pesquisas mais avançadas, ainda que tenha algumas das ideias religiosas mais conservadoras e intolerantes do mundo.

Um mundo de especiarias

No entanto, as contradições são ainda mais profundas. No passado, os ocidentais viam a Índia com outros olhos, através de lentes embaciadas, algo a que Edward Said chamou «Orientalismo» ocidental, que via a Índia como «o outro». Por um lado, os ocidentais viam a Índia como exótica e romântica. O romancista francês André Malraux escreveu: «Distante de nós em sonhos e no tempo, a Índia pertence ao Antigo Oriente da nossa alma». Mark Twain foi ainda mais floreado: «Isto é realmente a Índia! A terra dos sonhos e do romance, de uma riqueza fabulosa e uma pobreza extraordinária – de génios e gigantes e lâmpadas de Aladino, de tigres e elefantes – o país de cem nações e de mil línguas, de mil religiões e dois milhões de deuses, berço da raça humana, lugar de nascimento do discurso humano, mãe da história, avó da lenda e bisavó da tradição...»

Por outro lado, alguns ocidentais eram simplesmente incrédulos. Thomas Macaulay, que introduziu o primeiro código penal da Índia, escreveu que todo o corpo da filosofia indiana tinha menos valor do que uma só prateleira de livros europeus. Winston Churchill foi ainda mais ofensivo ao descrever a Índia como «um país desagradável com uma religião desagradável» e «um país tão unido como o Equador».

Com esse tipo de atitude, não é de estranhar que muitos indianos se agarrem a uma visão de si mesmos mais positiva, embora igualmente incorrecta. Em particular, tendem a ver-se como uma nação altamente espiritual, profundamente religiosa e não materialista. Como Amartya Sem escreveu no século XX (ver página 118): «As interpretações exóticas e os elogios dos europeus encontraram na Índia um exército de ouvintes atentos, que eram particularmente acolhedores, demonstrando a sua autoconfiança destruída em resultado do domínio colonial».

O notável exemplo de Mahatma Gandhi, que levou o país à independência, em 1947, através da campanha de protesto não violento ou *ahimsa*, reforçou este ponto de vista. Se o profundamente espiritual e não-materialista Gandhi derrotou a Grã-Bretanha através da *ahimsa* – e foi ajudado por muitos milhares de indianos – então os indianos devem ser, ao que parece, um povo pacífico, espiritual e não-materialista. Quando os *hippies* emigraram para a Índia nos anos 60 e 70 de século XX, ao encontro do esclarecimento, seguindo os Beatles e as suas relações amorosas com a espiritualidade indiana, parecia apenas estar a confirmar-se esta visão. Este mito ocidental parecia tão atractivo que muitos indianos o adoptaram e, como todos os mitos, contém um cerne substancial de verdade. Mas é um mito.

Música indiana

Em 1913, o grande poeta indiano Rabindranath Tagore escreveu: «Para um observador ocidental, a nossa civilização é como todas as metafísicas, assim como o tocar do piano para um surdo parece ser um mero movimento de dedos e não música».

Hoje, os ocidentais que visitam a Índia são confrontados com o que parece ser uma grande quantidade de contradições. Vêem a antiga cultura da Índia nos palácios históricos e templos. Vêem a espiritualidade profunda do país – e o espírito de Gandhi – no enorme número de devotos que se banham no rio Ganges em Varanasi, as vacas sagradas que vagueiam livremente pelas estradas da cidade e gurus que os dominam. No entanto, também vêem as alamedas cintilantes e as lojas de design em Mumbai, lado a lado com a imundície, com o abarrotar de gente e com a pobreza tão intensa que é difícil testemunhar. Como é que é possível tanta modernidade e consumismo, a extrema divisão entre ricos e pobres ser compatível com a imagem tradicional da Índia? Como é que esse materialismo flagrante se instalou num país que é tão naturalmente espiritual?

No seu livro *Being Indian*, Pavan Varma, Director do Centro Nehru, diz que não é de estranhar que os ocidentais estejam confusos. Os indianos, diz, foram durante muito tempo coniventes com esta opinião: «Ao longo dos anos, a liderança indiana e os indianos com formação superior projectaram deliberadamente e embelezaram uma imagem dos indianos que sabem não ser verdadeira … e, pior ainda, apaixonaram-se por essa imagem e já não conseguem aceitar que não seja verdadeira». Varma refere que, longe de ser um indiano típico, Gandhi, com os seus hábitos simples e preocupação com a pobreza, é a excepção – e é precisamente por isso que é olhado com tanta reverência. É uma visão controversa, mas Varma afirma que muitos indianos, longe de serem de outro mundo, são bastante pragmáticos nas suas visões. São cheios de recursos e empreendedores – são ambiciosos, até mesmo obcecados, tanto por bens materiais como por estatuto. Provavelmente, foi por isto que revelaram ser homens de negócios eficientes – a todos os níveis. Para se ver que existe pelo menos um elemento de verdade nisto, tem de se olhar para o aumento extraordinário de lojas de rua no Reino Unido dirigidas por emigrantes pobres do Estado indiano de Gujarate.

Dos Himalaias até ao mar

Contudo, é fácil esquecer que a Índia é um país muito, muito grande, e a população de mais de mil milhões contém dentro de si uma enorme quantidade de atitudes, culturas e grupos. O que Jawaharlal Nehru disse em 1946 é verdade nos dias de hoje (excepto que agora há mais indianos!). «Quatrocentos milhões de homens e mulheres, cada um diferente do outro, cada um a viver num universo privado de pensamentos e sentimentos».

De certa forma, o facto mais espantoso acerca da Índia é ser, ao fim e ao cabo, um único país. Na Independência de 1947, a divisão do subcontinente em Índia e Paquistão trouxe um sofrimento terrível e uma tragédia pessoal, incluindo a perda de cerca de meio milhão de vidas à medida que as pessoas eram forçadas a migrar para o país «certo» ou a sentir-se vítimas da violência facciosa. Contudo, apesar do amenizar das tensões, tais como a disputa pelo território de Caxemira, ambos os países permaneceram intactos, e a Índia em especial emergiu notavelmente como uma nação coesa.

Como veremos mais tarde neste livro, a política indiana está despedaçada por divisões e o PBJ (Partido Bharatiya Janata – o maior partido político da Índia), que é apenas a frente mais aceitável do nacionalismo hindu, está a fomentar tensões por todo o país. No entanto, nos sessenta e poucos anos desde a Independência, a Índia emergiu como uma democracia madura e notavelmente estável.

É um país que aprendeu a viver com extremos e, se não chega a celebrá-los, aceita-os como uma parte natural da vida. Assim como o clima do país oscila entre as chuvas intensas da época das monções – que tanto trazem cheias devastadoras como uma humidade bem-vinda – e a seca brutal da estação seca, talvez o povo se tenha habituado aos altos e baixos como parte da ordem natural da vida.

1. O BOOM ECONÓMICO DA ÍNDIA

«Acredito que um dia a Índia possa vir a ser a economia com o crescimento mais rápido do mundo. Seria uma loucura se a Virgin não abraçasse a Índia».
Sir Richard Branson, presidente da Companhia Aérea Virgin Atlantic

O cenário é familiar. Com o emergir do mercado imobiliário e a subida dos preços de retalho, em Abril de 2007 o banco procurou acalmar a pressão inflacionária, aumentando as taxas de juro pela terceira vez em apenas quatro meses. Por estranho que possa parecer, não estamos a falar de uma grande economia europeia, mas sim da Índia. A subida mais alarmante do preço das casas atingiu o auge em Nova Deli e o naco que mais aumentou as taxas de juro foi o Banco de Reserva da Índia.

A prova de que a economia da Índia chegou tão longe é que agora até os seus problemas financeiros partilham espaços com os problemas das economias mais desenvolvidas. Na verdade, esta enxurrada de cortes nas taxas de juro foi alimentada pelo medo de que a economia indiana estivesse a crescer tão depressa que ficasse mesmo em perigo de sobreaquecimento.

O investimento estrangeiro tem fluído para o país de tal maneira nos últimos anos que os bancos estão absolutamente inundados de dinheiro. Têm andado de tal forma apressados a utilizar os fundos que os empréstimos ban-

Crescimento Económico da Índia (PIB)

Fonte: Banco Mundial

cários estão a crescer cerca de um terço por ano – e os empréstimos para propriedades comerciais quase duplicaram em 2006. Ao mesmo tempo, as fábricas e as infra-estruturas do país estão a trabalhar no limite e os próprios fornecedores não conseguem dar vazão ao aumento de procura do consumidor – resultando daí uma pressão intensa nos preços de retalho.

Sem grandes surpresas, os especialistas indianos em economia não estão muito entusiasmados com a ideia de acelerar ainda mais o crescimento económico. Até há bem pouco tempo, o governo indiano tentava igualar a expansão da China de 10 por cento ao ano. Mas agora até começaram a pensar em desacelerar ligeiramente.

Tudo isto é bastante surpreendente. Há pouco mais de 15 anos, a Índia parecia um buraco económico. Em 1991, as reservas de fundos estrangeiros caíram virtualmente para zero quando a Guerra do Golfo fez disparar um aumento nos preços do petróleo que praticamente levou o país à falência. Apenas há três décadas, as coisas ainda estavam piores. O país foi invadido por motins e greves despoletadas pelas grandes dificuldades económicas e Indira Gandhi foi forçada a desvalorizar a rupia sob pressão do Fundo Monetário Internacional (FMI) – já para não falar no atraso da democracia. Após uma série de más colheitas, a situação tornou-se tão desesperante que os pobres na Índia se mantinham vivos apenas devido aos sucessivos barcos de cereais vindos da América e este acontecimento tornou-se uma piada de mau gosto: o país vivia «do barco para a boca».

O grande desenvolvimento

Contudo, foi a crise de 1991 que provou ser o ponto de mudança. Face ao colapso económico, o governo indiano decidiu finalmente abandonar algumas restrições no comércio que já datavam do tempo do Império Britânico, conhecidas de forma pouco afectuosa como «Licença Raj».

Havia como que uma certa derrota no facto, porque simbolizava o abandono final do tão acarinhado ideal de independência, *swadeshi*. Foi o reconhecimento, relutante, de que se a Índia fosse demasiado próspera teria de se envolver completamente com o mundo. No entanto, os resultados das liberalizações introduzidas pelo ministro das Finanças Manmohan Singh (que foi Primeiro-Ministro em 2004) foram notáveis. Entre 1991 e 2004, a economia da Índia cresceu em média 6 por cento ao ano. Em 2005 e 2006, acelerou para mais de 8 por cento e, em 2007, parecia poder atingir mais de 9 por cento. Números de dois dígitos – não muito longe da China – são o objectivo para 2008.

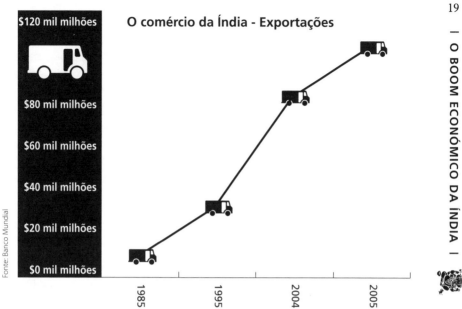

O comércio da Índia - Exportações

Fonte: Banco Mundial

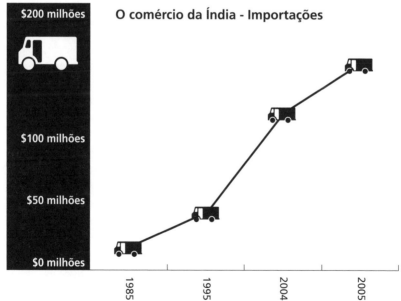

O comércio da Índia - Importações

Fonte: Banco Mundial

Para caracterizarem o lento crescimento da Índia nas primeiras quatro décadas de independência, por vezes as pessoas falam disparatadamente da «taxa de crescimento hindu» – que mal atingiu 3 por cento ao ano. Evidenciam que Nehru foi pouco sensato a despender elevadas quantias em projectos de grande investimento como barragens e fábricas. É certamente verdade que estes grandes planos devoraram uma enorme quantidade dos escassos recursos financeiros da Índia com lucros limitados, enquanto a agricultura recebia apenas um quinto dos gastos do governo nos últimos cinco anos do planeamento de Nehru – apesar de mais de 80 por cento da população indiana depender da agricultura. No entanto, Nehru regia-se pela sabedoria de muitos dos melhores economistas da altura sobre como desenvolver uma economia socialista – e uma estratégia semelhante funcionou em relação à Rússia. O único elemento que a Índia não tinha – e que provavelmente foi crucial – era a reforma agrária, em que Nehru não conseguia convencer as pessoas dos benefícios.

No entanto, apesar das limitações no crescimento durante o tempo de Nehru, foi na verdade muito mais rápido do que quando estavam sob a alçada dos britânicos e talvez tenha criado alicerces mais sólidos para o crescimento que se seguiu do que podia parecer à primeira vista. Em primeiro lugar, Nehru certificou-se de que o inglês permanecia a língua oficial da Índia – e é a fluência em inglês que tem ajudado os indianos a ter impacto na tecnologia de informação internacional (TI) e no mercado das comunicações, que está muito para além da China. Além disso, os governos de Nehru criaram os cinco Institutos de Tecnologia Indianos, os TIIs, que fornecem os melhores licenciados para a expansão das indústrias de alta tecnologia da Índia. E os seus grandes projectos de construção ofereceram a um sem-número de pessoas a experiência de trabalhar em grandes projectos de engenharia, o que agora prova ser útil.

Índia TI

O desenvolvimento económico da Índia está longe de ser convencional. O padrão convencional é que a indústria de manufactura barata e de baixo custo surja e proporcione emprego industrial ilimitado a um sem número de pessoas, encorajando a urbanização. Enquanto a experiência industrial aumenta, existe uma mudança em direcção a valores mais altos e produtos mais sofisticados. Então, finalmente, a alta tecnologia e as indústrias de serviços começam a acertar o passo. Este processo não só decorreu no Reino Unido há alguns anos como foi o padrão utilizado no pós-guerra da Coreia do Sul. E ao que parece está a ter lugar na China.

Todavia, a Índia disparou a direito para a terceira etapa, com uma expansão económica que dependeu quase inteiramente das indústrias de alta tecnologia e de serviços. Possui uma grande variedade de indústrias de manufactura, mas estas são notavelmente pequenas para um país com o tamanho e a prosperidade da Índia.

Alterações na base da economia indiana – Sectores (% de PIB)

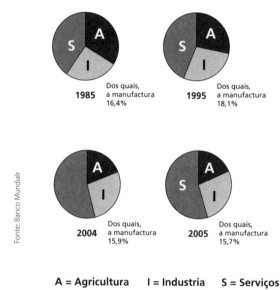

Fonte: Banco Mundialr

	Dos quais, a manufactura
1985	16,4%
1995	18,1%
2004	15,9%
2005	15,7%

A = Agricultura   I = Industria   S = Serviços

Não há dúvida de que o sucesso da Índia no mundo das TI transformou o país. Em 2003, foi ultrapassado um marco importante quando o sector de software ganhou sozinho mais dinheiro do que o custo inteiro das importações de petróleo do país – factor que levara o país à grave crise financeira de 1991. Este facto significa que, quando a invasão do Iraque fez subir de novo os preços do petróleo, a Índia tinha capacidade para ultrapassar as dificuldades quase com tranquilidade.

Mas o sucesso espantoso da Índia TI, que transformou cidades como Mumbai, Hyderabad e Bangalore, encobre alguns problemas preocupantes. As TI e indústrias afins empregam apenas um milhão de pessoas, num país com uma força laboral não muito longe dos 500 mil milhões. Por isso, enquanto o reduzido número de licenciados em TI bem sucedidos pode fazer uma fortuna, muito poucos empregos novos estão a ser criados para o indiano comum.

Insegurança no emprego

Um dos aspectos notáveis da Índia é o facto de tão poucas pessoas usufruírem de empregos reconhecidos e seguros. Em 2006, a força laboral do país ultrapassava os 470 milhões. Contudo, apenas 35 milhões (uns escassos sete por cento) têm empregos convencionais e pagam impostos sobre o rendimento – 21 milhões dos quais trabalham para o governo! Assim sendo, um país com uma população superior a mil milhões tem pouco mais contribuintes do que o Reino Unido. Os restantes – cerca de 435 milhões de pessoas – trabalham naquilo a que os indianos chamam «sector desorganizado». Dele fazem parte os inúmeros milhões de indianos que labutam arduamente nas propriedades agrícolas, que têm pequenas lojas e bancas, que prestam serviços como mecânicos, que trabalham como seguranças, empregados de lavandaria, jardineiros, ajudantes de cozinha e por aí fora. E sempre em troca de um salário muito baixo.

Para a maioria destas pessoas, a probabilidade de conseguirem encontrar um emprego na nova economia indiana em franca expansão é tão reduzida como a chuva na estação seca. Os trabalhadores que estão no mercado negro por opção são muito poucos. Há uma grande procura de empregos convencionais. As pessoas externas ao país podem supor que as multinacionais estrangeiras que se estabelecem na Índia se estão a aproveitar do trabalho por meio de salários tão baixos que se equiparam a exploração. Na verdade, se esses trabalhos forem empregos convencionais, são cobiçados – porque a média dos pagamentos é seis a nove vezes superior à dos empregos temporários a termo incerto e oferecem um elevado nível de estabilidade.

De facto, algumas pessoas atribuem a culpa pela morte dos empregos estáveis na Índia às leis restritivas de emprego em vigor, um dos elementos da Licença Raj que sobreviveu às reformas da década de 90. Nehru introduziu-as com a intenção de proteger os trabalhadores de patrões exploradores. No entanto, o efeito tem consistido em desencorajar os empregadores de inserirem pessoas na folha de pagamentos, porque depois se torna muito difícil retirá-las novamente. Chega até a ser difícil despedir alguém por absentismo recorrente, um problema endémico na Índia, tipificado pela profissão de docente, que perde cerca de 40 por cento do período de leccionação devido à não comparência dos professores. Os empregadores indianos mostram-se relutantes em admitir pessoal aquando da fase de expansão, pois receiam ver-se sobrecarregados com uma força de trabalho demasiado extensa, caso as coisas não corram conforme previsto.

PERFIL: **RATAN TATA**

«Na Índia estávamos obcecados connosco. Há já algum tempo que eu pensava que não precisávamos de ser assim.»

Foi deste modo que Ratan Tata, chefe do gigantesco grupo de empresas Tata, explicou a sua decisão de comprar os produtores de aço anglo-holandeses, Corus, e os fornecedores de chá Tetley, do Reino Unido. Tata não é tão rico como alguns chefes de corporação indianos e o grupo Tata não é tão grande como algumas multinacionais indianas. Contudo, tem sido, durante muito tempo, uma das empresas indianas com mais sucesso, e Ratan Tata, filho do lendário J. R. D. Tata (chefe do grupo desde 1993), é profundamente respeitado pelo modo notável como dirigiu as empresas tornando-as bem sucedidas.

Na década de 90, quando J. R. D. entregou as rédeas do poder a Ratan, a Tata era um gigante desagregado, de expansão irregular, que J. R. D. comparou ao Império Mogol em declínio – perdendo o controlo de várias empresas, tal como os imperadores mogóis perderam o controlo sobre os diversos sátrapas (dirigentes regionais que lhes eram subordinados). Ratan, na altura com 56 anos, parecia um tecnocrata introvertido, precisamente o oposto do brilhante e carismático J. R. D. No entanto, era exactamente aquilo de que a Tata precisava. Com grandes conflitos e perdas ainda maiores, que aparentemente esmagavam o gigante adoentado, os pânditas anteviam o fim da Tata. Mas a abordagem de Ratan Tata, simples, muito prática e directa, bem como a reestruturação altamente eficaz que levou a cabo na empresa, fizeram dele um vencedor e os críticos foram forçados a engolir as palavras, especialmente à medida que o Indica, o novo automóvel que Ratan concebeu sozinho, provava ser um enorme sucesso.

Tata reduziu o grupo e fez com que este deixasse de ser uma espécie de dinossauro indiano que dependia excessivamente de produtos manufacturados, para se tornar numa empresa mais dinâmica e de bases mais alargadas. Na década de 90, o grupo Tata era visto como um tanto cauteloso e adverso ao risco. Hoje em dia, é muito mais agressivo e rápido – daí a enchente de aquisições hostis. Curiosamente, ao contrário do que acontecia antes, a empresa está feliz por se deslocar para fora da Índia, imiscuindo-se também em empresas estrangeiras. Ratan acredita que «a Tata e a Índia não podem dar-se ao luxo de estar apenas na Índia». Em 2007, Ratan Tata aproximava-se dos 70 anos, idade em que os directores da Tata se reformam; no entanto, é solteiro e não tem filhos, portanto parecia não haver um sucessor óbvio. Assim sendo, o grupo Tata simplesmente aumentou a idade de reforma para os 75 anos e espera-se que Ratan seja o chefe até 2012.

Fabricado na Índia?

Numerosos fabricantes indianos estão a começar a sair-se muito bem no panorama global. Alguns, como o grupo Tata, estão a emergir ou a tomar de assalto a *Fortune 500* das maiores corporações multinacionais do mundo. Contudo, estas expansões não estão a criar mais postos de trabalho – quando muito, acontece o contrário. O crescimento tende a ser impulsionado pelo capital e não pelos trabalhadores. Em 2007, o Tata Steel alimentou cabeçalhos por todo o mundo com a compra dos fabricantes de aço anglo-holandeses, Corus, tornando-se o quinto maior fabricante de aço do mundo. No entanto, à medida que foi crescendo, a sua força laboral diminuiu. Em 1991, a siderurgia em Jamshedpur tinha 85 000 trabalhadores e produzia um milhão de toneladas por ano. Em 2005, o número de trabalhadores de Jamshedpur desceu para os 44 000, mas a produção aumentou 400 por cento, até aos 5 milhões de toneladas por ano. Outras multinacionais indianas orgulham-se de uma eficiência de trabalho semelhante; mais lucro e menos custos. No fim da década de 90, o fabricante de *scooters* Bajaj, sediado em Pune, produziu um milhão empregando 24 000 trabalhadores. Actualmente, despeja no mercado 2,2 milhões empregando apenas 10 000 pessoas. Portanto, supor que o recente crescimento do sector manufactureiro da Índia originaria obrigatoriamente postos de trabalho de que o indiano comum tão desesperadamente precisa seria um erro já cometido por muitos comentadores.

Mesmo assim, há indícios de que o sector manufactureiro indiano está a começar a capturar parte da aura de sucesso das indústrias TI. O crescimento acelerado da economia nos últimos anos pode em grande parte ser atribuído à indústria manufactureira, e não às de TI. E alguns dos fabricantes indianos estão a tornar-se verdadeiros agentes globais. A India Inc. parece gozar de grande êxito, com a sua onda de megafusões globais e aquisições hostis. Tal como a aquisição da Corus pela Tata, deu-se, por exemplo, a aquisição da Novelis, a maior fabricante de produtos em alumínio, pela Hindalco, e a aquisição da Arcelor, a maior produtora de aço do mundo, pela Lakshi Mittal. Outras companhias indianas, tais como a Videocon, a Moser Baer, a Bharat Forge e as Indústrias Reliance, estão a fazer furor. Quando a sociedade de consultores BCG (Boston Consulting Group) apontou 100 novas empresas globais inovadoras, escolheu 21 companhias indianas.

JUGAAD

Jugaad é uma palavra indiana sem equivalente directo em português, mas que se resume a um espírito de não desistência e engenho para a improvisação, invenção e rentabilização máxima das coisas. *Jugaad* é uma qualidade que muitos indianos possuem em abundância. Revelam-na na destreza em descobrir oportunidades de negócio nas situações mais improváveis e em retirar delas o melhor partido. Os célebres *dabbawallahs* de Mumbai, que levam refeições caseiras aos trabalhadores (ver página 132), são um exemplo clássico do espírito *Jugaad*. Os indianos demonstram também jugaad na espantosa capacidade de fazer aparecer, como que por magia, ferramentas e máquinas a partir de velharias e objectos abandonados, como a Maruta de Punjab, uma locomotiva feita de remendos a partir de tábuas e peças retiradas de outras máquinas, e o tractor de duas rodas criado por um agricultor em Gujarate. Claro que a invenção é muitas vezes o fruto da necessidade, mas *Jugaad* passou de tal modo a fazer parte do estilo de vida indiano que estes se tornaram verdadeiros campeões da reciclagem. Nada se deita fora se puder ser reutilizado. Envelopes, papel de embrulho, embalagens de comida, tudo o que se possa imaginar – e até o impensável – é cuidadosamente guardado e reutilizado. Recentemente, até se tornou moda reciclar presentes, entregando-os ao próximo receptor agradecido – por vezes ainda no mesmo embrulho. Os benefícios ambientais são notórios. A Índia recicla 60 por cento dos resíduos plásticos, comparado com apenas 12 por cento no Japão.

A Índia chama

Mas não são apenas as companhias indianas que estão a progredir. Até há muito pouco tempo, várias multinacionais estrangeiras deslocaram-se para a Índia em busca de vendas no mercado da classe média em crescimento. No entanto, agora algumas estão a pensar seriamente em deslocar-se para a Índia de forma a beneficiar dos baixos custos de produção e dos abundantes recursos naturais. Posco, o gigante siderúrgico coreano, espera construir uma fábrica no valor de 12 000 milhões de dólares americanos perto de Orissa (assim que encontrar um lugar que não suscite oposição local) e a empresa de telemóveis Nokia abriu uma fábrica em Chennai (Madrasta). De facto, Chennai parece ter-se tornado uma espécie de íman para fabricantes de automóveis devido ao fácil acesso ao mar e aos recursos de baixo custo. Em 2006, a Hyundai abriu uma central no valor de vários milhões e já está a construir uma segunda. A BMW começou a construir na Primavera de 2007. Actualmente, a Renault e a Nissan estão a começar a trabalhar numa nova fábrica gigante de automóveis em Nashik, perto de Chennai, em sociedade com a empresa indiana Mahindra & Mahindra.

Não restam dúvidas de que a atenuação gradual de alguns dos regimes de licenças restritivas da Índia está a ajudar – bem como a ascensão da classe média indiana. Na verdade, a Índia tornou-se um importante mercado em si mesma, e os fabricantes são atraídos para lá de modo a ficarem mais próximos de um dos principais mercados. A Índia é, por exemplo, um dos cinco maiores mercados da Nokia, contabilizando trinta milhões de vendas apenas em 2005. Jukka Lehtela, o responsável pela Nokia na Índia, explicou a deslocação da empresa para o país, de maneira muito simples: «Estávamos ansiosos por nos aproximar cada vez mais da Índia.»

Outro factor importante para as multinacionais pode ser a preocupação acerca da dependência da China como base de manufacturação. A China pode oferecer custos de produção muito mais reduzidos, mas está mais distante dos mercados europeus e do Médio Oriente, e o seu regime afasta algumas empresas.

VENHA O EMPRESÁRIO

Desde 1991, como se apenas aguardassem o momento oportuno para emergir, um sem--número de empresários indianos revelou o seu talento para o negócio. Alguns provêm de contextos empresariais, mas muitos são os primeiros homens de negócios da família – e são sobretudo homens. Existem inúmeras histórias de quem tenha passado de pobre a rico. Subhash Chandra, o gigante dos *media,* por vezes chamado «Murdoch da Índia», era o simples filho de um vendedor provinciano de sementes de algodão e agora vale 2,5 mil milhões de dólares americanos. C. K. Ranganathan transformou a ideia de vender champô a preços baixos às pessoas de países pobres no negócio multimilionário Cavin Kare. Naresh Goyal começou como humilde funcionário de uma companhia aérea, mas quando a Índia introduziu a Política de Céus Abertos, com a liberalização financeira em 1991, Goyal agarrou a oportunidade e criou a mais bem sucedida companhia aérea doméstica da Índia, com rendimentos anuais de quinhentos mil milhões de dólares. Não obstante, o empresário indiano nunca cresceu com tanto vigor em qualquer outro ramo como no das TI e nas indústrias farmacêuticas, onde milhares de indianos se fizeram milionários e centenas se tornaram multimilionários.

Infra-estrutura a desmoronar-se

Contudo, todas estas promessas podem chegar a um doloroso fim devido às infra-estruturas indianas em risco de desmoronamento. A indústria de alta tecnologia, que deu início à prosperidade indiana, não depende de estradas nem de pontes para levar os produtos até ao mercado; a de manufactura sim. Todavia, boas estradas, pontes, aeroportos, abastecimento de água e electricidade são algo que a Índia não tem em grande quantidade. E o que tem está a ceder sob o peso da multiplicação da procura – por vezes literalmente, como

acontenceu a uma ponte na parte leste, que cedeu em Dezembro de 2006 devido ao peso dos automóveis e que caiu sobre um comboio que circulava por baixo, resultando na morte de 34 pessoas. Entretanto, o abastecimento eléctrico da cidade de Pune, com 4,5 milhões de habitantes, está tão sobrecarregado que uma vez por semana tem de ser cortado para aliviar alguma pressão – fazendo com que as empresas tenham de depender dos próprios geradores de apoio ou encarar uma falha no sistema.

Transportar mercadorias na Índia pode ser um pesadelo. Na época das monções, as mercadorias sensíveis à água podem ficar fechadas em armazéns não estanques durante dias enquanto aguardam que as estradas fiquem transitáveis. Mesmo quando se inicia o transporte, viagens que demorariam menos de um dia em outros países na Índia podem demorar vários. A média de velocidade nas sobrepovoadas estradas principais indianas mal chega a 32 quilómetros por hora, e os assaltos são frequentes. Os fabricantes japoneses de automóveis Suzuki chegam a demorar dez dias para transportar os carros por 1448 quilómetros desde a fábrica em Gurgaon (uma das novas cidades-satélite de Nova Deli) para o porto de Mumbai – não apenas por causa das estradas sobrecarregadas e em más condições, mas também devido aos longos atrasos nas fronteiras e à proibição de camiões em muitas das cidades indianas durante o dia. Ao todo, a Índia tem somente 5953 quilómetros de auto-estradas – a China tem 40 225. Assim sendo, não admira que muitas empresas estrangeiras prefiram instalar-se nesse país e não na Índia, apesar dos embargos anteriormente mencionados. O que é ainda mais deprimente é que 40 por cento de toda a produção alimentar da Índia se perde porque os atrasos no transporte fazem com que esta apodreça antes de chegar aos consumidores.

Na estrada rumo ao futuro?

Alguns economistas acreditam que a ausência de boas estradas, caminhos-de-ferro e electricidade está todos os anos a cortar o crescimento económico da Índia numa grande percentagem. Está também a assegurar que esse crescimento, longe de beneficiar os oitocentos milhões de indianos pobres, está simplesmente a alargar o fosso entre os que possuem meios e os que nada têm, uma vez que o dinheiro está a ser cada vez mais concentrado nos poucos lugares que gozam de infra-estruturas decentes.

Agora, finalmente, anos depois de ter feito ouvidos de mercador, o Governo indiano parece ter-se apercebido da gravidade da situação. «Temos de melhorar a qualidade das nossas infra-estruturas», disse o Primeiro-Ministro Manmohan Singh na Primavera de 2007. «É uma prioridade para o nosso

Governo». E há que convir que já se fizeram alguns progressos. A auto-estrada Golden Quadrilateral, que liga as quatro grandes cidades indianas – Mumbai, Deli, Calcutá e Chennai – foi finalizada em 2007. O novo e elegante metro de Nova Deli já começou a ser construído. Bangalore e Hyderabad têm novos aeroportos em fase de construção. Mas há ainda um longo caminho a percorrer, e por isso o Primeiro-Ministro Singh está a lançar um plano gigantesco para melhorar as infra-estruturas do país. Entre 2007 e 2012, serão gastos cerca de 330 a 550 mil milhões de dólares em portos, estradas, aeroportos e geradores de electricidade.

Com a enorme dívida nacional da Índia, é impossível que todo este dinheiro provenha do Estado. Por conseguinte, o Governo está a embarcar numa enorme parceria entre sector público e privado para atrair fundos privados, oferecendo acordos bastante generosos, em que os investidores conservam as receitas durante décadas antes de finalmente entregarem as rédeas ao Governo. Curiosamente, se este plano resultar, pode traduzir-se em sólidas oportunidades de investimento para as empresas de infra-estruturas dispostas a arriscar. A Índia é um país muito grande e populoso, e se as estas obras começarem a estimular o desenvolvimento, os potenciais dividendos serão enormes. Daí que multinacionais estrangeiras, como a General Electric, se mostrem interessadas nestas potencialidades.

A AMBIÇÃO INDIANA POR CONDUZIR

Na Índia, conduzir pelas ruas das cidades emaranhadas de trânsito é um verdadeiro pesadelo para qualquer estrangeiro. No entanto, milhões de indianos estão ansiosos por entrar nele. O número de proprietários de automóveis começa a aumentar rapidamente. A cada cinco anos parece virtualmente duplicar. Hoje em dia, sete em cada mil indianos têm carro. Em 2010, serão onze em mil. Proporcionalmente, pode não parecer muito, mas ainda assim perfaz cerca de 120 milhões de carros.

Os fabricantes esperam que em breve a Índia tenha o sétimo maior mercado automóvel do mundo, com 2,5 a 3 milhões de carros a serem comprados todos os anos. É óbvio que, para largas centenas de milhões de indianos, a simples ideia de andar de carro está para além do imaginável, quanto mais ser dono de um. Contudo, embora a nova classe média indiana seja, em proporção, muito pequena, continua a representar um enorme número de pessoas – e um enorme número de potenciais compradores de automóveis.

Daí resulta que a indústria de automóveis na Índia esteja a florescer, tal como os negócios das TI. Durante décadas, as restrições governamentais e os escassos recursos financeiros desembocavam no domínio do antigo *Ambassador* sobre as estradas indianas. Agora vemos todos os tipos de modelos a encher as vias. Não se trata apenas do popular *Indica* da Tata, mas também de marcas estrangeiras. Os fabricantes de automóveis começam até a estabelecer fábricas na Índia para exportar para o resto do mundo. Chennai está rapidamente a transformar-se no centro mundial de fabrico de automóveis, com a Ford, a Hyundai, a BMW, a Renault e a Nissan a instalarem importantes fábricas na zona.

É claro que a Índia tem uma ausência crónica de estradas onde esta nova fila de carros possa circular – e os engarrafamentos estão a tornar-se norma. Estão a ser construídas novas auto-estradas, mas não conseguem acompanhar o crescimento do número de proprietários de automóveis. Os optimistas dentro da indústria automóvel insistem em que este aumento é exactamente aquilo de que a Índia precisa para estimular um desenvolvimento da rede de estradas baseado na procura.

Um Estado arrependido

Infelizmente, há ainda outro grande obstáculo ao sucesso económico: a política da Índia. Primeiro que tudo existe a corrupção em grande escala, que faz parte do modo da vida política indiana. É garantido que pelo menos um quarto – por vezes muito mais – de todo o dinheiro público destinado a um projecto simplesmente desapareça, de uma maneira ou de outra. Depois, há também as promessas que os políticos indianos têm de fazer aos eleitores para assegurar os votos. Se um partido promete baixar o preço da electricidade, os outros também têm de o fazer, isto se quiserem ser eleitos. Qualquer político que tente tomar decisões relativas ao futuro corre o risco de ser rejeitado pelos

eleitores que se preocupam apenas com o presente. Isto é obviamente verdade em qualquer democracia, mas na Índia, com a grande plenitude de partidos, parece ser algo obrigatório.

Há alguns anos, Chandrababu Naidu, o chefe do Governo regional de Hyderabad, ajudou a cidade a deixar de ser um local isolado, tornando-a no centro principal de actividade para a alta tecnologia. Construiu as infra-estruturas e cedeu o terreno que atraiu inúmeros gigantes estrangeiros de TI, criando a versão indiana de Silicon Valley. A cidade inteira beneficiou com o fluxo de negócios e riqueza. Contudo, em 2004, apesar do sucesso evidente, Naidu foi destituído do poder, em grande parte porque o seu adversário prometeu subsídios para a electricidade (no entanto existe outro modo de ver a situação). Os sinais de aviso para qualquer político que tente planear a expansão das infra-estruturas são óbvios.

Mesmo assim podem ser ultrapassados, como provou Sheila Dikshit, chefe do Governo regional de Nova Deli. Certamente que Dikshit lidou com os mesmos obstáculos que Naidu e deparou com graves problemas quando tentou contratar empresas privadas para tratar do abastecimento de água de forma a resolver a questão dos grandes desperdícios. Mas, em finais de 2005, a primeira fase do novo e fantástico metro de Nova Deli foi terminada dentro do prazo e do orçamento, e está bem encaminhada para os mesmos resultados na próxima fase. Dikshit foi também um agente fulcral no esquema que reduziu substancialmente a poluição do ar de Nova Deli, convertendo todos os transportes públicos da cidade para funcionarem a GNC (gás natural comprimido). Estas mudanças resultaram na melhoria significativa da qualidade de vida em Nova Deli – que até há pouco tempo era uma das cidades mais sujas e caóticas da Índia – de tal modo que muita gente prefere mudar-se para lá em detrimento de Mumbai.

2. O GOVERNO DA ÍNDIA

«Garanto às pessoas que proporcionarei um governo baseado no cumprimento da lei, na justiça, livre de medo e da máfia. Agradeço aos eleitores das castas mais elevada que nos apoiaram».

Mayawati, chefe do PBS na sua vitória eleitoral em Uttar Pradesh, a 11 de Maio de 2007

Em meados de Maio de 2007, Uttar Pradesh apanhou de surpresa os políticos indianos. Pela primeira vez, as eleições, no maior Estado da Índia, há muito considerado o cata-vento dos políticos nacionais, deu uma grande maioria ao partido que defende os interesses dos Dalits, o grupo de casta inferior, por vezes chamados de intocáveis. Conduzido pela notável professora, agora política, Mayawati, o Partido Bahujan Samaj (PBS) rompeu pela primeira vez com o padrão tradicional de coligações para assegurar uma maioria total no Parlamento do Estado de Uttar Pradesh.

Ainda estamos para ver como este facto irá mudar a política nacional ao longo dos próximos anos. Mas, com 113 milhões de eleitores, Uttar Pradesh é um Estado enorme com um eleitorado três vezes maior do que o Reino Unido, por isso é um resultado significativo. Além disso, muitos observadores políticos sentem que é um sinal de mudança dramática no panorama político da Índia ao longo da última década. De certa forma, é o primeiro sinal de que as classes menos privilegiadas da Índia estão a começar a aperceber-se do poder da democracia para uma mudança autêntica nas suas vidas.

O fim das coligações?

Para atingir a maioria, Mayawati teve de aliar a sua base de apoio entre os Dalit com os eleitores de casta mais elevada Brâmane. Tradicionalmente, os eleitores indianos votavam dentro das linhas de casta. Existe uma piada antiga que diz que as pessoas na Índia não votam em partidos, mas sim em castas. Um dos resultados é que os votos são divididos por uma enorme variedade de partidos, muitos dos quais não têm uma visão politica concreta, mas simplesmente defendem os interesses exclusivos da sua casta. Este é um dos motivos pelos quais as coligações têm estado na ordem do dia, tanto na agenda do governo nacional como do estatal, e é por isso que os programas de reforma a longo prazo são raros. Mayawati já tinha sido chefe do governo regional de Uttar Pradesh, mas apenas em coligação.

Por isso, apesar de o voto ter dado a oportunidade a uma vasta subclasse indiana de participar no processo democrático e de os Dalits terem feito sem

dúvida um progresso surpreendente nos últimos anos, o governo da Índia tem permanecido nas mãos da elite política (e social) e talvez nas mãos da corrupção endémica. A lição retirada das eleições de Uttar Pradesh é que, pondo de parte as diferenças de castas, para se concentrarem em questões que afectam todos, como o aumento de preços e o desenvolvimento económico e social, o PBS (e outros partidos) talvez consigam alcançar um poder político real para mudar as coisas.

CORRUPÇÃO

Para os indianos, a corrupção governamental há muito que faz parte da norma. Ao longo de mais de dois mil anos, Kautilya, no seu famoso tratado maquiavélico sobre a política, o *Arthashastra*, disse «tal como é impossível saber quando um peixe está a beber água enquanto nada, também é impossível descobrir quando alguém que está ao serviço do governo rouba dinheiro.» Algumas estimativas sugerem que em todos os projectos governamentais indianos se espera que pelo menos uma quarta parte simplesmente desapareça. Rajiv Gandhi, um grande crítico da corrupção governamental, calculou que 85 por cento dos gastos com o desenvolvimento foram sugados por burocratas. Mesmo quando os oficiais do governo não estão a meter directamente o dinheiro no bolso, o que fazem frequentemente, estão a retirá-lo indirectamente para adjudicar contratos de negócios particulares.

Na verdade, a corrupção é tão endémica que os oficias do governo que não enchem os bolsos são muitas vezes vistos como ingénuos. Em Kerala, os oficiais honestos são aparentemente vistos como *pavangal*, o que significa altamente moral, mas também alguém que se deixa enganar facilmente. Alguém que seja adepto de pagar subornos é *buddhi*, e isto significa que tem o discernimento de um adulto e não de uma criança. É uma espécie de aceitação da inevitabilidade da corrupção entre os poderosos da Índia. Existe uma versão indiana famosa da equação de Einstein sobre a massa e a energia, que é M + D = C, ou seja, Monopólio mais Discrição é igual a

Corrupção. Assim como os indianos ficam contentes por regatear nos supermercados, também no que diz respeito ao governo tudo é negociável.

Uma das formas de isto funcionar é manter os desprivilegiados do lado contrário ao que é legal. Assim, eles têm de adoçar a boca à polícia ou aos oficiais do governo para evitar acusações. Por exemplo, em Nova Deli calcula-se que existam cerca de 500 000 condutores de riquexó, no entanto há menos de 100 000 licenças para os conduzir. Em vez de aumentar o número de licenças, o governo local aceita simplesmente que 400 000 condutores de riquexó paguem regularmente subornos à policia para não arranjarem sarilhos. Da mesma forma, os 600 000 comerciantes de rua da cidade trabalham ilegalmente, uma vez que, segundo os críticos, ocupam espaço público sem pagar. Mas o negócio continua porque a polícia, em vez de impedir que eles comercializem, simplesmente aceitam um docinho de 1000 rupias por mês (cerca de 15,70 euros) – que é muito mais do que um terço dos lucros reduzidos dos comerciantes. De tempos a tempos, apenas para os manter na linha, a polícia aparece de surpresa e «confisca» os *stocks*.

Um dos factos mais chocantes da corrupção na Índia é que, na maioria das vezes, as principais vítimas são os mais fracos. Devido à pobreza crónica na Índia, existem subsídios generosos disponíveis para ajudar aqueles que estão no fundo do poço. Por exemplo, a comida gratuita é disponibilizada para os que estão registados como ALP (Abaixo da Linha de Pobreza). No entanto, em alguns Estados, como Bihar, que é seriamente afectado pela pobreza, mais de 80 por cento da comida é simplesmente sugada antes mesmo de chegar aos pontos de distribuição. E, o que é ainda pior, de acordo com um estudo feito pelo governo, 40 por cento daqueles que estão registados no ALP conseguiram entrar na lista através de suborno. Por isso, provavelmente, uma grande parte de toda a comida subsidiada nunca chega aos pontos de distribuição e grande parte da comida é reclamada por aqueles que não têm o direito de o fazer.

Edward Lucie, no seu livro *In Spite of the Gods*, explica como é difícil para aqueles que tentam acabar com a corrupção, quando esta vai direita ao coração do sistema. A polícia, por exemplo, entra frequentemente em desespero ao levar os criminosos conhecidos à justiça porque o sistema legal é corrupto e está entupido com a acumulação de casos. O resultado é que para lidar com os piores criminosos, recorrem muitas vezes a «encontros» onde a polícia «acidentalmente» mata o suspeito. Apesar de não serem oficialmente perdoadas, as mortes que resultam destes encontros são aparentemente uma parte aceitável do sistema.

O elevado número de políticos eleitos que têm condenações, ou que são ex-condenados, demonstra o grau de corrupção que é aceite na Índia. No entanto, existem muitos oficiais do governo indiano que são correctos e incorruptíveis como tantos outros em qualquer parte do mundo, e não há dúvida de que a evidência de corrupção constitui um voto a menos. O Partido Bharatiya Janata (PBJ) subiu ao poder pintando um quadro de corrupção dos Congressistas – e perdeu-o em parte devido à exposição da sua própria corrupção (ver página 48). De facto, há cada vez mais políticos verdadeiramente determinados a livrar-se da corrupção, não apenas por razões morais e porque dá uma má imagem da Índia ao mundo, mas porque pode fazer estagnar o país.

Num relatório publicado em Junho de 2007, os consultores Ernst & Young salientaram que a corrupção pode trazer dificuldades para a Índia realizar os grandes projectos de infra-estruturas, obras essas que todos reconhecem serem vitais para a prosperidade futura do país. Os melhoramentos dependem tanto de capital privado como público e é provável que esse capital não surja se sentirem que a maior parte pode ser roubada. O relatório diz que a corrupção na Índia fez com que o financiamento internacional destinado a infra-estruturas fosse difícil de aparecer. «Sem ele (o financiamento), as infra-estruturas da Índia vão permanecer na era anterior.»

Os Congressistas e os Gandhis

Durante a maior parte dos sessenta anos de independência da Índia, o governo tem estado nas mãos do Partido Congressista. O Congresso Nacional Indiano formou-se em 1885, para que os indianos fossem tratados de forma igual pela administração britânica, e foi transformado por Mahatma Gandhi num grande movimento pela independência. Mas, desde 1947, tem sido visto essencialmente como o partido da dinastia de Nehru-Gandhi. Com Jawaharlal

Nehru, o primeiro Primeiro-Ministro da Índia, tornou-se aparentemente o partido natural do governo indiano. A influência extraordinária de Nehru foi tal que o seu descendente dominou o partido congressista e a política indiana desde então. Nos anos 80, o autor Salman Rushdie descreveu a dinastia Nehru--Gandhi como uma «dinastia para derrotar a *Dinastia* numa Deli em rivalidade com Dallas».

Quando Nehru morreu, em 1964, a sua filha Indira rapidamente lhe sucedeu como Primeira-Ministra e aplicou a política indiana com tenacidade ditatorial durante vinte anos. Quando foi assassinada, em 1984, o neto de Nehru, filho mais velho de Indira, Rajiv, tornou-se Primeiro-Ministro. Depois de também ele ter sido assassinado, em 1991, o partido congressista implorou à viúva italiana Sonia que assumisse a liderança. Ela resistiu à pressão até 1998, altura em que o partido congressista se deixou levar pela oposição, sendo catastroficamente derrotado pelo partido nacionalista hindu, o Partido Bharatiya Janata (PBJ). Após seis anos numa posição inferior, os congressistas voltaram ao poder em 2004. Surpreendentemente, Sonia Gandhi resistiu à tentação de se tornar Primeira-Ministra, atirando a Bolsa indiana para um pânico temporário e indicando depois o ponderado Manmohan Singh para a substituir. Mas tanto Singh como muitos outros especialistas políticos previram que o filho de Sonia Rahul viria a ser Primeiro-Ministro num futuro não muito longínquo e a sua filha Priyanka talvez até desempenhasse um papel importante.

No entanto, a eleição em Uttar Pradesh pode ser um sinal de que o tempo dos Gandhis no topo da política indiana possa estar a chegar ao fim. Rahul Gandhi esteve em Uttar Pradesh lutando furiosamente até ao último minuto pelo Partido Congressista, mas nem mesmo a sua presença conseguiu impedir a vitória do PBS.

O Parlamento indiano

As instituições do governo indiano são, a nível nacional e talvez sem grandes surpresas, muito idênticas às da Grã-Bretanha e o anglófilo Nehru teve um papel bastante importante na criação das suas formas. É óbvio que a Índia é uma República com um presidente, ao contrário da Grã-Bretanha monárquica, mas é o Primeiro-Ministro, presentemente Manmohan Singh, líder do maior partido no Parlamento, quem efectivamente governa o país, tal como o Primeiro-Ministro da Grã-Bretanha.

Também como na Grã-Bretanha, o Parlamento tem duas câmaras: a câmara baixa, Lok Sabha, e a câmara alta, a Rajya Sabha. A Lok Sabha tem cerca de 545 membros eleitos ao estilo britânico, por maioria de votos nos círculos elei-

torais, e a Rajya Sabha, com 250 membros, a maior parte eleitos pelas assembleias dos 29 Estados, mas incluindo 12 membros «nomeados», escolhidos pelo presidente devido à sua perícia em artes, ciências e serviço social. A Lok Sabha é a mais poderosa das duas câmaras desde que precede a Rajya Sabha e, quando ambas se reúnem, consegue sobrepor-se pelo simples peso dos números. A Índia é também um país federal como os EUA. Cada um dos Estados tem a sua própria assembleia e pode fazer as suas próprias leis, mas o centro tem muito mais controlo do que nos EUA, uma vez que os Estados indianos não têm poder para imprimir ou emprestar dinheiro.

A ESCALA DA DEMOCRACIA INDIANA

Sempre que a Índia tem eleições gerais, bate o recorde como sendo o maior exercício em democracia a que o mundo jamais assistiu. Nas eleições de 2004, 380 milhões de pessoas – cerca de 56 por cento dos 675 milhões de eleitores indianos registados – votaram em 700 000 secções de voto pelo país, utilizando as 1,25 milhões de máquinas de voto electrónicas. Esta grande avalanche de eleitores tinha de escolher entre 5398 candidatos e 220 partidos políticos. Votaram em 538 círculos eleitorais – cada um com uma média de mais de um milhão de eleitores, ou seja, uma cidade do tamanho de Liverpool representada por apenas um único membro no Parlamento.

Congressistas em declínio

Durante as primeiras duas décadas de independência, as eleições regionais e nacionais realizaram-se sempre ao mesmo tempo e o partido congressista nacional dependia dos líderes locais para mobilizar «os bancos de voto» regio-

nais. Os eleitores indianos tendem a votar mais em lealdade comunitária do que propriamente em escolha individual, e os bancos de voto são grandes blocos de votos distribuídos por comunidades específicas. É óbvio que, para entregarem os bancos de voto, os líderes locais esperam ser devidamente recompensados. Mas, depois, Indira Gandhi decidiu libertar-se destes laços regionais, que muitas vezes eram profundamente conservadores por natureza. Em 1971, dirigiu-se ao chefe dos líderes locais para pedir uma eleição nacional limpa antecipada e espantou-os ao ter uma vitória assombrosa fazendo campanha pelas principais questões nacionais, com o slogan Garibi Hatao (Abolir a Pobreza), de que pouca gente podia discordar, mas que na verdade não teve muito significado.

Apesar do partido congressista da Sr.ª Gandhi ter ganho, a organização partidária estava irremediavelmente dividida e, na verdade, nunca recuperou, enquanto a ligação entre eleições nacionais e regionais se quebrou. Talvez mais significativo, o cuidadoso alimentar de lealdades entre eleições, que caracterizara os primeiros anos, foi substituído por eleições nacionais, que se tornaram grandes acontecimentos teatrais e pontuaram o panorama político espasmodicamente. À medida que a economia sofria grandes dificuldades com a enorme escassez alimentar, a política não era, de forma alguma, vista como uma resposta. Perante os protestos, greves e motins a nível nacional, a Sr.ª Gandhi suspendeu as eleições e deu a si própria poderes ditatoriais.

Os indianos contra-atacam

Ironicamente, na sua tentativa de centralizar o poder, a Sr.ª Gandhi contribuiu mais do que tudo para que os indianos comuns tomassem consciência do seu poder democrático. Privados da defesa cautelosa dos seus interesses, tornaram-se conscientes de que as eleições eram a única coisa que realmente importava. A participação tanto nas eleições nacionais como regionais começou a aumentar e as eleições, que antigamente eram questões relativamente calmas, passaram a ser amargamente agressivas. Esta característica passou a ocorrer cada vez mais lado a lado com conflitos violentos entre diferentes grupos de interesses.

Durante os anos 80 e 90, os partidos que representavam grupos sociais, culturais e religiosos específicos começaram a fazer sentir a sua presença cada vez mais poderosa. O PBJ defendia o nacionalismo hindu; a Lok Dal estava ligada à casta e classe; o PBS aos Dalits; a Akali Dal aos separatistas religiosos e por aí fora. O Parlamento nacional, eleito em 1996, albergava 28 partidos diferentes, enquanto, ao mesmo tempo, políticos regionais como o excêntrico chefe do governo regional de Bihar, Lalu Prasad Yadav, começaram a ganhar maior importância. Quando o domínio do Partido Congressista começou a enfraquecer, a política indiana tornara-se campo de batalha de inúmeros interesses locais e facciosos.

O poder hindu

De todos estes partidos, o PBJ foi aquele que teve mais impacto. Uma coligação com V. P. Singh, um congressista renegado, levou-os ao governo em 1989. No entanto, a coligação começou a separar-se quando Singh anunciou um plano para ajudar os Dalits e outras castas conhecidas como «retrógradas», reservando 60 por cento dos empregos de serviço civil para eles – incomodando o PBJ, que, para começar, retirava o seu apoio principalmente das castas mais elevadas. O ponto de ruptura deu-se com a mesquita de Babri Masjid em Ayodhya, que permaneceu para sempre como um ponto de ebulição na política, no nacionalismo e na religião da Índia.

O RSS

Pouca gente fora da Índia ouviu falar do RSS (Rashtriya Swayamsevak Sangh). No entanto, é um dos maiores movimentos políticos do mundo, com talvez mais de seis milhões de membros, e muita gente considera que o PBJ é apenas o porta-voz do RSS. Fundado em 1925 por K. B. Hedgewar, dedica-se a promover o Hinduísmo, não só como religião, mas também como manifestação da condição da nação indiana. O seu propósito proclamado é «servir a nação e o seu povo à imagem de Deus – Bharata Mata (Mãe Índiana) e proteger os interesses dos hindus na Índia». Estas palavras soam bastante inofensivas, mas o RSS acredita que é necessário criar uma forma de Hinduísmo mais «musculada». O RSS está convicto de que a Índia, a nação hindu, permitiu que o Islamismo e o Cristianismo a dominassem, porque o Hinduísmo é demasiado «efeminado» e desunido. Consideram que só criando um Hinduísmo que seja tão forte, decidido e unido como o Islamismo e o Cristianismo a nação Hindu prevalecerá.

O RSS tem sido comparado aos fascistas de 1930 e foi banido da Índia por três vezes quando o governo o considerou uma ameaça à sobrevivência do Estado – uma vez em 1948 após o assassinato de Mahatma Gandhi por um hindu nacionalista, outra em 1975 durante o estado de emergência sob a alçada de Indira Gandhi, e outra em 1992 após a destruição da mesquita de Ayodhya. Tal como os movimentos fascistas de 1930, o RSS promove muitas teorias científicas que parecem indicar a superioridade da cultura hindu – e o benefício maravilhoso das vacas. Também como os fascistas do passado, dezenas de milhares de jovens membros do RSS ao longo do país levantam-se todos os dias ao amanhecer, para vestirem os uniformes pretos e cor de caqui para as secções de treinos marciais, em grupos com o nome de shakhas. A intensidade do propósito deste treino varia de shakha para shakha, mas, na ramificação do RSS, o Vishwa Hindu Parishad (VHP ou Conselho Mundial do Hinduísmo), é levado muito a sério. Através da sua divisão Bajrang Dal, o VHP fornece a força para os motins antimuçulmanos. Aparentemente, cerca de trezentos a quatrocentos mil jovens indianos foram treinados pelo Bajrang Dal no uso letal de espadas, espingardas de pressão e o bastão indiano, conhecido como lathi. No entanto, a maior parte dos membros do RSS actua através de canais mais estáveis e expressa os seus pontos de vista de uma forma mais comedida.

Em Outubro de 1990, o presidente do PBJ, L. K. Advani, vestiu uma túnica cor de açafrão, subiu para um coche dourado e dirigiu uma cavalgada de fogosos nacionalistas hindus para destruírem a mesquita muçulmana do século XVI, em Ayoghya. Diziam que a mesquita não só se encontrava no local de um antigo templo hindu arrasado pelos muçulmanos em 1528, mas também no local de nascimento do Lorde Ram, o herói mítico do Ramayana. Entretanto, a polícia interveio e prendeu Advani. O PBJ retirou-se de imediato da coligação, arrastando V. P. Singh.

PERFIL:
L. K. ADVANI

A seguir a Atal (Vajpayee) só mesmo Advani; Advani é a escolha natural. Devia ser Primeiro-Ministro.

Presidente do PBJ Rajnath Singh, 2 de Maio de 2007

Foi Lal Krishna Advani que, em 1980, fundou o PBJ juntamente com Vajpayee, e quando Vajpayee passou para segundo plano após a derrota nas eleições de 2004, é Advani que passa para a frente, sendo indicado como o próximo Primeiro-Ministro do PBJ. O Presidente do PBJ, Rajnath Singh, acredita que ele é o «noivo» que vai levar a «noiva» às eleições de Deli em 2009. Parece não ser importante o facto de nessa altura Advani já ter 82 anos. Mas Advani talvez enfrente oposição do RSS, que o quer manter afastado para dar lugar a líderes mais novos.

Parece irónico que o RSS tenha abandonado Advani. Advani foi um apoiante acérrimo do RSS quando era jovem e foi a força condutora por trás da campanha para demolir a mesquita em Ayodhya, construindo aí um templo hindu – um ideal do RSS. Mas incomodou muita gente quando visitou o túmulo do primeiro governador-geral paquistanês, Mohammad ali Jinnah, e aparentemente o elogiou pelo seu apoio ao Estado secular. Os nacionalistas hindus sentiram-se ultrajados e Advani foi obrigado a desistir da presidência do PBJ. Isso foi duplamente irónico, uma vez que Advani fora acusado de envolvimento no conluio para assassinar Jinnah, em 1947. Na verdade, ainda está pendente uma acção criminal contra ele, embora o governo paquistanês tenha dito que não tinha intenção de o acusar naquela altura.

Após uma série de reuniões de emergência, Advani retirou a sua demissão e foi bem recebido no seio do partido, mas poucos meses depois deixou de ser presidente – apenas para apressar a campanha de Primeiro-Ministro para a eleição seguinte.

Rajiv Gandhi foi assassinado durante a campanha eleitoral subsequente, mas as emoções despertadas pela mesquita de Ayodhya impulsionaram solidamente o apoio ao PBJ. O PBJ (Partido Bharat Janata) é o rosto político de um vasto movimento que equaciona a identidade indiana com o Hinduísmo. Atingiu notoriedade numa onda de nacionalismo militante hindu, que parece ignorar o facto de que a Índia é há muito tempo um lar para Cristãos, Muçulmanos, Sikhs e Budistas. O credo principal é *Hindutva* (de hindu) em todos os aspectos da vida nacional

Índia em erupção

Curiosamente, a campanha do PBJ para a destruição da mesquita de Ayodhya coincidiu com a emissão em massa de uma série televisiva que dramatizava os grandes épicos da Índia antiga – o *Mahabharata* e o *Ramayana*. Estas séries infindáveis capturaram na perfeição o estado de espírito da nação e o país foi inundado por uma onda de orgulho no património indiano em geral – e no hindu em particular. O nacionalismo hindu, que anteriormente era um movimento reservado apenas às castas mais elevadas, começou a penetrar em todas elas.

O Partido Congressista regressou ao poder no início da década de 90 e o Primeiro-Ministro Rao presidiu ao afrouxar da «Licença Raj» (ver página 18) para minorar as dificuldades económicas do país. Mas, na oposição, o PBJ ganhava confiança e, em 1992, os apoiantes atacaram novamente a mesquita de Ayodhya. Desta vez, a polícia não pôde ou não quis impedi-los. A mesquita foi demolida e a explosão de bombas em Mumbai, um suposto gesto de retaliação muçulmana, despoletou uma terrível onda de motins e até massacres contra os muçulmanos por todo o país, mas especialmente em Mumbai e em Gujarate.

Começou a parecer que os dois pontos fulcrais do programa político da democracia indiana de Nehru – não violência e noção de um Estado secular – se estavam a desintegrar. Rao permaneceu no poder com o partido Congressista durante o início dos anos 90, mas este foi dilacerado pelo faccio- sismo e abalado por acusações de corrupção. Por fim, a grande vaga de desilu- são com o partido Congressista, a nível regional, fez-se também sentir a nível nacional. Nas eleições de 1996, o PBJ emergiu como o maior partido indepen- dente e, pela primeira vez, tentou formar governo. Em pouco tempo foram vencidos pela estratégia da Frente Unida, que, para formar um governo de coli- gação, aliou forças a um grupo minoritário que se separou dos Congressistas, mas as eleições de 1998 colocaram o PBJ no poder e à cabeça de uma coliga- ção de direita.

Vajpayee toma posse

Atal Vajpayee, Primeiro-Ministro do PBJ, conquistou o governo com a promessa de restaurar o orgulho nacional do país. Em poucas semanas, a Índia detonava as primeiras armas nucleares em Rajasthan e pouco tempo depois efectuava o primeiro teste de mísseis. O Paquistão respondeu de imediato com os seus próprios testes, mas, se a Índia estava dividida acerca de Ayodhya, rebentava de orgulho nacional acerca da chegada da idade nuclear. Na verdade, o sentido de patriotismo nuclear foi tão estridente que Arundhati Roy, a escritora galardoada com o prémio Booker, foi advertida no sentido de conferir se tinha os impostos em dia e a papelada em ordem antes de se manifestar contra os testes, manifestação essa que fez com vigor, declarando-os como um acto de traição perpetrado sobre o povo pela classe dominante, que, no meio da comemoração nuclear, esquecia os interesses da população.

PERFIL: ATAL BEHARI VAJPAYEE

Apesar de ter quase oitenta anos, na verdade ninguém esperava que o mais antigo veterano de campanha do PBJ, Atal Behari Vajpayee, se retirasse da vida política em 2005. Afinal, mal tinha passado um ano desde que havia completado seis anos como Primeiro-Ministro do PBJ, à cabeça da primeira forma significativa de governo não congressista em toda a história da Índia. Embora tenha surpreendentemente perdido por um largo número de votos, nas eleições de 2004 assumiu de certo modo o papel de figura tranquilizadora. Os seis anos que esteve no poder retiraram parte do factor medo acerca da governação do PBJ. Existiram problemas, mas a economia escapou imune, e Vajpayee conseguiu até desenvencilhar-se da pior crise com o Paquistão, mantendo o orgulho da Índia intacto – e evitando a guerra.

Figura intelectual e poeta, Vajpayee começou a estudar para ser advogado, mas desistiu do curso de Direito para dirigir a revista do

RSS na década de 50. No entanto, apesar de ser um empenhado membro do RSS, foi sempre uma das vozes moderadoras dentro do movimento e o próprio Jawaharlal Nehru o apontou como um homem a vigiar – embora tenha demorado ainda mais tempo do que Nehru esperava até Vajpayee marcar a sua posição. Curiosamente, enquanto Primeiro-Ministro, Vajpayee tentou apelar tanto a muçulmanos como a hindus, apesar de o PBJ geralmente manter uma posição antagónica em relação aos primeiros – e esta é uma das razões pelas quais a sua presidência não conseguiu conter os terrores que alguns temiam. Na realidade, quando convocou as eleições de 2004, Vajpayee esperava sinceramente ser reeleito e assegurar a posição de primeiro líder a desafiar seriamente a dinastia Nehru-Gandhi. Infelizmente não era esse o seu destino e decidiu esgueirar-se para a sombra política, concentrar-se na gastronomia e na poesia e sonhar com o que poderia ter acontecido.

Profundamente abalada pela reviravolta dos acontecimentos, Sonia Gandhi acedeu tornar-se líder do Partido Congressista. Mas as tensões com o Paquistão relativamente a Caxemira estavam a atingir o auge (ver páginas 93-94) e, nas eleições de 1999, o PBJ infligiu aos congressistas a maior derrota de sempre. Enquanto Vajpayee regressava ao poder como líder de uma Aliança Democrática Nacional dirigida pelo PBJ, parecia que os dias da antiga dinastia política tinham chegado ao fim – especialmente quando as classes médias, agora com mais poder, expulsaram quase metade dos membros do Parlamento, exasperadas pela corrupção e pela falha contínua na provisão de serviços básicos.

A natureza contra-ataca

Durante os anos seguintes, a Índia foi atingida por uma série de terríveis desastres naturais. Primeiro, um ciclone gigantesco devastou Orissa. No Verão seguinte, Maio bateu o recorde das temperaturas elevadas em resultado do terceiro ano consecutivo sem chuva, o que trouxe uma seca severa às regiões de Rajasthan e Gujarate. Quando as monções de 2000 finalmente chegaram, pouco adiantou para as regiões secas, mas inundaram-se áreas de Andhra

Pradesh, Bengala Ocidental e Uttar Pradesh, de tal modo que 12 milhões de pessoas foram arrastadas de casa pelas enchentes. Depois, por fim, a 26 de Janeiro de 2001, Gujarat foi abalada por um terramoto violento. Tanto as agências de ajuda internacional como o povo indiano criticaram o governo pela sua ineficácia em lidar com estes desastres.

Entretanto, escândalos de corrupção atingiam o governo PBJ. Um dos seus pontos fortes era a promessa de acabar com toda a corrupção existente desde a era do Partido Congressista, por isso sofreram um golpe enorme quando o PBJ sucumbiu aos mesmos problemas. O pior momento deu-se quando jornalistas pertencentes ao *site* de investigação *Tehelka.com* se fizeram passar por traficantes de armas e conseguiram subornar não só o ministro da Defesa, George Fernandes, como também muitos outros membros do governo. Fernandes aparecia numa gravação a enfiar maços de notas dentro da secretária. Milhares de indianos assistiram ao vídeo antes de *Tehelka* ser encerrada pelo governo (neste momento estão novamente operacionais).

O CAVALO HINDU

A História é política em todos os países, mas nunca esta afirmação foi mais verdadeira do que na Índia recente. Ao longo do último século, os arqueólogos revelaram que a Índia foi o berço de uma das civilizações mais antigas e avançadas do mundo, conhecida em tempos como o povo do Vale do Indo e actualmente conhecida como a cultura harappan. Os harappan construíram cidades sofisticadas, mas desapareceram misteriosamente há cerca de 4000 anos, deixando poucos vestígios da sua existência além das ruínas das cidades. Aproximadamente ao mesmo tempo, ou talvez um pouco mais tarde, um povo que andava a cavalo e falava a língua ariana deslocou-se para o lado norte da Índia, uns dizem que pacificamente, outros dizem que por meio de conquistas, e ao longo dos séculos espalhou-se por todo o subcontinente. Pouco depois chegou a época dourada da primeira literatura indiana, o período Védico, que deu azo aos reverenciados poemas hindus dos Vedas e aos grandes épicos como o *Mahabharata* e o *Ramayana*.

No entanto, os que acreditam na supremacia hindu têm sido entusiastas em afirmar que os arianos não migraram para a Índia, mas sim que se espalharam daí para o resto do mundo, logo, que a Índia foi o único berço da civilização, antedatando em muito os gregos. A ser verdade, os harappan também devem ter sido arianos, e assim, sob a égide do governo do PBJ, os manuais escolares foram revistos e alterados de modo a propagar este ponto de vista, mesmo que não tenham tido o apoio dos académicos. Os manuais também afirmavam a existência de novas provas que demonstravam que os harappan costumavam andar a cavalo, por isso deviam ser arianos. As «provas» encontravam-se supostamente nas gravuras de um cavalo que constava num dos célebres selos harappan. Ninguém se pareceu importar com o facto de que, em 2000, Michael Witzel, professor de sânscrito na Universidade de Harvard, ter demonstrado que o selo era claramente uma falsificação feita nos tempos modernos. Os manuais escolares não foram corrigidos e as crianças indianas continuaram a aprender, erroneamente, que antes da chegada dos muçulmanos, os hindus viveram felizes e em paz durante milhares de anos.

O mito hindu conseguiu até penetrar na educação superior, onde o ministro da Educação do PBJ, Murli Manohar Joshi, introduziu cursos em Matemática e Ciência Védica nas universidades indianas, perpetuando a noção de que todas as ciências e matemáticas são originárias do período védico. Estes cursos ainda são leccionados e os manuais da época áurea hindu continuam a ser usados nas escolas indianas.

Portanto, talvez não tivesse sido uma grande surpresa quando o PBJ optou por uma abordagem de não interferência quando, em 2002, a tensão se inflamou novamente sobre Ayodhya. No início desse ano, os militantes hindus chegavam em massa a Ayodhya para reivindicar a construção de um templo hindu em homenagem a Ram, no sítio onde antes estava a mesquita. Os relatos dão conta de que os insultos proferidos afoguearam os trabalhadores muçulmanos do caminho-de-ferro em Godhra, onde o comboio parou antes de seguir para Ayodhya. No dia 27 de Fevereiro, nessa mesma localidade, 58 passageiros hindus foram queimados vivos dentro de uma carruagem. O inquérito instaurado pelo governo não conseguiu apurar nenhuma conclusão acerca da origem do incêndio, mas testemunhas oculares insistiram que estava um grupo de arruaceiros muçulmanos no local quando o fogo deflagrou.

Os horrores de Gujarat

Narendhra Modi, chefe do Governo regional de Gujarate e pertencente ao PBJ, organizou um funeral comum em Ahmedabad para as vítimas do incêndio no comboio, aparentemente sem grande preocupação com as consequências. O funeral transformou-se num gigantesco ataque às áreas muçulmanas de Ahmedabad. Os desordeiros não precisavam de muito encorajamento, mas ainda assim receberam-no. Interpelado a comentar, Modi apenas citou Newton, inadequadamente: «Para cada acção há sempre uma reacção oposta e de igual intensidade». Centenas de homens, mulheres e crianças muçulmanos foram chacinados à medida que os amotinadores hindus os arrastavam para fora das casas – muitas vezes em frente de jornalistas que os filmavam. As multidões formavam enxames em redor enquanto as mulheres eram despidas e violadas, e em seguida forçadas a engolir querosene antes de serem queimadas vivas juntamente com os filhos – em «justa retribuição» pela morte dos passageiros do comboio incendiado em Godhra.

Um aspecto particularmente perturbador deste reinado de terror foi o facto de os amotinados terem conseguido aceder a registos eleitorais que lhes permitiram identificar os alvos muçulmanos. Outro, foi o facto de a polícia ter ficado impávida e serena a observar – e, por vezes até, alegadamente, a conduzir os muçulmanos para as mãos dos assassinos. Até o próprio governo nacional se afastou e deixou a carnificina ter lugar. Mais tarde, quando questionado, o Primeiro-Ministro Vajpayee culpou os muçulmanos: «Convém não nos esquecermos de como tudo isto começou. Quem é que ateou o fogo?... onde quer que os muçulmanos vivam, têm tendência a não conviver pacificamente com os outros».

Como resultado dos motins de Gujarate, em 2002, mais de 200 000 pessoas ficaram desalojadas e foram forçadas a ir para campos de refugiados. Mas o governo nada fez por eles. Quase toda a ajuda proveio do Comité Islâmico, uma instituição de caridade dirigida por muçulmanos sunitas relativamente extremistas – e, sem grande surpresa, muitos jovens muçulmanos de Gujarate, que são predominantemente xiitas e que, não se interessando antes muito por política, vieram a tornar-se radicais.

Apesar de ser possível que o PBJ tenha beneficiado de alguma forma com este terrível momento de «orgulho hindu», o fervor, o derramamento de sangue e o rufar do tambor nacionalista talvez tenham sido demais para o indiano comum. Aliás, a crescente prosperidade da Índia pareceu beneficiar somente a elite que formou o núcleo de apoio ao PBJ. Em 2004, com a economia a florescer e as conversações de paz com o Paquistão sobre Caxemira bem encaminhadas, Vajpayee decidiu convocar eleições, com o intuito de reconquistar o poder, sob a máxima «Índia reluzente». Contudo, numa reviravolta dramática, os indianos voltaram-se para o rosto tranquilizador do partido congressista. Os congressistas recuperaram facilmente, sendo o maior partido da Lok Sabha (Câmara Baixa), e Sonia Gandhi foi convidada a formar governo.

Sonia recusa

Para grande choque de todos, num acto de renúncia «tipicamente hindu», Sonia Gandhi recusou o cargo de Primeira-Ministra, dizendo que tinha sido aconselhada pela sua «voz interior». Talvez também ela estivesse consciente de que, enquanto italiana, a sua posição nunca seria muito sustentável. Os apoiantes do PBJ insistiram que levariam o protesto às ruas caso fosse um estrangeiro a dirigir o país. Em consequência da renúncia, a Bolsa indiana sofreu o pior *crash* da sua existência e só recuperou quando Sonia Gandhi nomeou Manmohan Singh como Primeiro-Ministro e este se tornou o primeiro Sikh a liderar o país.

Desde que foi eleito em 2004, Singh provou ser uma influência extraordinariamente estabilizadora. Apenas ele está quase livre da mácula da corrupção. Talvez também, sendo Sikh, não se espere que forme alianças nem com muçulmanos nem com hindus, e, sob a sua égide, o partido congressista possa fazer o seu melhor para erradicar as tensões religiosas. Para além disso, a sua conduta reservada caminha lado a lado com a reputação de ter boas competências financeiras. Ao fim e ao cabo, foi Singh quem arquitectou o desmantelamento da «Licença Raj» em 1991, acto que estimulou o crescimento da Índia. Ele é claramente visto como genuinamente preocupado com as necessidades dos pobres, e tem insistido no perdão da dívida e nos programas de apoio social, tal como tem demonstrado estar ciente da necessidade de criação de postos de trabalho no contexto da grande expansão económica do país, quer para os indianos comuns quer para a elite das TI.

PERFIL: **MANMOHAN SINGH**

«É bom ser-se um homem do Estado, mas sê-
-lo numa democracia implica primeiro ter de se
ganhar as eleições.»

**Assim admitiu Manmohan Singh pouco depois de se ter tornado
Primeiro-Ministro, em 2004, profundamente consciente de que é
um dos poucos líderes da Índia que não foi eleito democratica-
mente, e que, por conseguinte, é alguém que nunca teve de lidar
com os prazeres e as amarguras de uma eleição. Algumas pessoas dizem que talvez seja por isso que o tranquilo político indiano tenha provado ser uma influência tão estabilizadora.**

Nascido em 1932, em Gah, Punjabe (agora no Paquistão),
Manmohan Singh, tal como muitos outros indianos inteligentes e pri-
vilegiados, foi educado em Cambridge e Oxford, e considerou esses
padrões académicos inspiradores. Mais tarde, falou acerca do privilé-
gio de ter sido ensinado por economistas tão respeitados como Joan
Robinson e Maurice Dobb.

Depois de Oxbridge, tornou-se economista e, antes de entrar no
mundo da política indiana, conquistou uma reputação substancial
em corpos financeiros internacionais, tais como o Fundo Monetário
Internacional e o Banco Asiático de Desenvolvimento. No final da
década de 80, tornou-se governador do Banco da Reserva da Índia e
foi a escolha óbvia para ocupar o cargo de ministro das Finanças no
governo de Narasimha Rao, em 1991, apesar de mais tarde ter dito
que ficou bastante surpreendido com o convite. Muitos dos seus
amigos estavam convencidos de que tinha sido convidado a entrar
na política, apenas para servir de bode expiatório às maleitas da economia indiana. Em boa verdade, a sua entrada na esfera política foi
um autêntico triunfo.

Foi enquanto ministro das Finanças que Singh apresentou a onda
de liberalizações financeiras que lhe valeram a reputação de arquitecto da reforma económica da Índia. Admitiu nutrir uma profunda
admiração por Margaret Thatcher e a condução da Índia face a uma

economia de mercado livre é em parte inspirada por ela. Mas, ao contrário de Margaret Thatcher, Manmohan Singh não parece acreditar que os mercados possam resolver os problemas sozinhos. Acredita, tal como a Sra. Thatcher, em «retirar a participação do governo das actividades onde este não é muito eficiente a resolver os assuntos», mas acredita também em «fazer com que o governo se envolva mais activamente onde consideramos que os mercados por si só não conseguem providenciar os bens essenciais de que o nosso povo necessita – educação, cuidados básicos de saúde, medidas de protecção ambiental, necessidades básicas de segurança social». E tem cumprido a palavra, com o Plano Nacional de Garantia de Emprego Rural – embora a sua eficácia esteja ainda por provar.

Com Singh no cargo de Primeiro-Ministro, a economia indiana cresceu como nunca. Sólidos investimentos estão a fazer com que as infra-estruturas indianas finalmente melhorem. As tensões entre facções religiosas e regionais demonstraram sinais de acalmia. E, a nível internacional, a Índia emergiu como um agente respeitado, muito notavelmente com o acordo nuclear celebrado com os EUA (ver página 101). Contudo, há muitas nuvens a assomar no horizonte, e ao longo das últimas décadas, as coligações dentro da política indiana deram provas de ser extremamente frágeis, portanto, o futuro sucesso de Singh está longe de ser garantido.

Mas Singh já tinha 72 anos quando subiu ao poder em 2004, e ainda estamos para descobrir se tem a energia e a força necessárias para ser eficaz durante muito mais tempo. Além do mais, a ascensão de políticos de Dalit, tais como Mayawati, e a influência disruptiva das tensões regionais estão a começar a corroer o poder do partido congressista e do governo central indiano. O futuro do partido pode depender da rapidez e da eficácia com que a crescente riqueza indiana se espalha pelo vasto exército de pessoas pobres e carenciadas do país e que certamente não está disposto a esperar eternamente pela sua fatia do bolo.

SISTEMA DE DOIS PARTIDOS?

A 10 de Maio de 2007, o presidente indiano A. P. J. Abdul Kalam declarou: «É preciso responder a muitos desafios; a emergência de coligações multipartidárias como uma forma de governo regular que precisa de evoluir rapidamente enquanto sistema estável de dois partidos». Muita gente tem encarado a proliferação de partidos na vida política indiana e a necessidade contínua dos partidos formarem coligações como um problema que precisa de ser resolvido. Olham para o eficaz sistema de dois partidos existente no Reino Unido e anseiam pela simplicidade de uma única eleição que atribua um mandato claro a um ou a outro partido, para que possa tomar decisões e governar, em vez de negociar e conspirar. Quando a maioria dos partidos se juntou para formar apenas duas alianças para lutar pelas eleições de 2004, muitos comentadores consideraram que a Índia estava finalmente a dirigir-se rumo a uma política racional de dois partidos. De um lado estava o vencedor, dirigido pelos congressistas, o partido de centro-esquerda, Aliança Progressiva Unida (APU). Do outro estava o vencido, dirigido pelo PBJ, Aliança Nacional Democrata (AND), de direita. As pessoas pensam que é apenas uma questão de tempo até que estas duas alianças coalesçam para formar partidos independentes.

No entanto, muitos analistas políticos consideram que, ao invés de se dirigir rumo a um sistema de dois partidos, o cenário político indiano está, na verdade, a tornar-se cada vez mais fragmentado. O importante académico Yogendra Yadav, que coordenou os maiores inquéritos académicos de sempre acerca do eleitorado indiano, diz: «Aqueles que acreditam que a Índia se dirige para um sistema de dois partidos estão a entregar-se a um pensamento ilusório». Não é difícil imaginar um cenário bipolar com o partido congressista na ribalta, de um lado, e o PBJ na ribalta, do outro. Na realidade, o apoio a ambos os partidos mais importantes diminuiu dramaticamente nos anos recentes. Nas eleições de 2004, o Congressista e o PBJ juntos obtiveram pouco mais de metade dos lugares na Lok Sabha. No governo, nem mesmo a APU consegue dirigir o país sozinha, pelo contrário, precisa do apoio dos comunistas e de outros partidos de esquerda. Já o facto de o PBS ter alcançado a maioria nas eleições de Maio de 2007, em Uttar Pradesh, mostra quão pouco sólido e distante é realmente o cenário Congressista-PBJ.

Curiosamente, vários comentadores, como Yadav, consideram que isto não é mau. Ele acredita que aqueles que querem que a Índia adopte um sistema de dois partidos como os EUA e o Reino Unido têm uma «visão estreita e errada acerca do método de trabalho das democracias ocidentais e deviam centrar a atenção em países como a França, a Alemanha e a Itália, que mantêm governos de coligação há muitos anos». O Reino Unido, mais propriamente a Escócia, claro, está a começar a passar pela mesma experiência.

Aliados do Partido Congressista

Quando, nos últimos anos, o domínio do poder dos congressistas sobre a política indiana entrou em declínio, foram forçados a depender de outros partidos como parceiros de coligação, sendo este grupo conhecido como Aliança Progressista Unida (APU).

O Partido Nacionalista do Congresso ou PNC formou-se em Maio de 1999 quando três políticos, líderes dos congressistas – Sharad Pawar, P. A. Sangma e Tariq Anwar –, se separaram em protesto pelo facto de o partido ter optado por uma estrangeira, Sonia Gandhi, como líder. O trio levou muito do apoio congressista para o seu novo partido, mas nunca se saíram tão bem como esperavam e em poucos anos formaram uma aliança com os congressistas quando a renúncia de Sonia Gandhi ao mandato tornou as suas diferenças quase irrelevantes.

O DMK (Dravida Munnetra Kazhagam) é o partido dominante no Estado Indiano do sul de Tamil Nadu e tem neste local todos os seus 39 lugares. O partido foi fundado em 1949 para lutar pelos interesses de Tamil – e em particular para lutar contra a imposição da cultura hindu do Norte e da língua hindi. Surpreendentemente, o DMK juntou-se ao PBJ para combater nas eleições de 1998, mas agora reconhecem que os seus interesses têm mais a ver com os congressistas, tornando-se um aliado importante para o governo Manmohan Singh.

Dirigido por Lalu Prasad Yadav, um dos políticos indianos mais excêntricos, o Rashtriya Janata Dal é um dos partidos socialistas mais importantes do país. Tem uma base de apoio especialmente forte entre as castas mais baixas e os muçulmanos, principalmente em Bihar, um dos Estados mais pobres da Índia.

Aliados do PBJ

Tal como o partido congressista, o PBJ dependia completamente das suas ligações com outros partidos, mas estes estão constantemente em mudança, uma vez que as novas alianças são forjadas e as antigas vão desaparecendo. No governo, e para as eleições de 2004, dirigiu o grupo conhecido como Aliança Nacional Democrática (AND).

O Janata Dal ou Partido do Povo Unido é uma das várias ramificações da separação do partido congressista fundado pelo V. P. Singh em 1989 – e conseguiu segurar brevemente o poder com o apoio do PBJ até à divisão relacionada com a mesquita de Ayodhya. O erro foi corrigido atempadamente para Janata Dal ter um papel importante no governo AND de Vapayee de 1999. Mas é um partido socialista, com uma grande base de poder em Bihar – não um dos círculos eleitorais naturais do PBJ – por isso, talvez a aliança não perdure.

O Partido Telugu Desam está sedeado no Estado de Andhra Pradesh, onde o seu carismático líder, Chandrababu Naidu, teve um papel importante na transformação de Hyderabad numa das poderosas TI da Índia. Mas, apesar do sucesso de Naidu como o motor de arranque da expansão económica de Hyderabad, ele e o seu partido sofreram bastante nas eleições de 2004 depois de terem negligenciado a resolução de questões locais.

Shiv Sena é o partido indiano de extrema-direita, liderado por Bal Thackeray, que é caracterizado pela revista *India Today* como o vilão mais importante do país. É o equivalente ao Partido Nacional Britânico, mas com um cariz violento. O seu apoio foca-se em Maharashtra e na cidade de Mumbai, onde ganhou notoriedade pela sua intimidação em relação aos «intrusos» do sul da Índia que trabalham como empregados de escritório ou em pequenos restaurantes que, dizem eles, estão a privar os nativos de Maharashtra do seu meio de subsistência.

O AIADMK é um partido de Tamil Nadu formado em 1972 a partir de uma separação do DMK. Dirigido pela imprevisível ex-estrela de cinema Jayalalitha, tem sido a faísca para muito fogo político. No entanto, Jayalalitha já não tem a força que tinha e o PBJ talvez decida que, no futuro, a coligação não vale a pena.

O Akali Dal é um dos maiores partidos Sikh, com uma história que vem desde 1920. Tem uma forte base de poder no Punjab, onde alguns membros do partido mais radicais lutaram pela criação de um Estado Sikh independente no princípio dos anos 80.

Partidos não-aliados

O Partido Bahujan Samaj, liderado pelo carismático Mayawati, tem um enorme apoio entre os Dalits de Uttar Pradesh e está agora a fazer fortes progressos unindo os interesses Dalit com as castas mais elevadas. Neste momento, é essencialmente um partido regional, mas é provável que em breve se torne um agente nacional influente.

O partido Samajwadi foi fundado em 1992 a partir de uma separação do Janata Dal do V. P. Singh. Tal como o PBS, tem uma forte base de poder em Uttar Pradesh, especialmente entre as castas hindus mais baixas e os muçulmanos, mas está a perder terreno para o PBS.

Os comunistas e os partidos de esquerda ganharam 61 lugares entre eles nas eleições de 2004, sendo portanto uma força significativa na política indiana. Na verdade, o Partido Comunista da Índia (Marxista) ou o PCI (M) é o terceiro maior partido independente no Parlamento actual, a seguir aos congressistas e ao PBJ, com 43 lugares. Outros partidos significativos incluem o Partido Comunista da Índia (PCI), o All India Forward Bloc e o Partido Revolucionário Socialista. Apesar de serem tradicionalmente anti-sistema, logo, anti--congressistas, estes partidos de esquerda têm reconhecido o perigo do nacionalismo hindu e do PBJ e, por isso, estão agora mais inclinados a juntarem-se aos congressistas.

3. A ÍNDIA RELIGIOSA

«[A hierarquia de castas é] uma escala ascendente de ódio e uma escala descendente de desprezo.»

Dr. Bimrao Ambedkar

No coração da religião hindu, a religião de quatro em cinco indianos está o conceito de *dharma*. Este, muito simplesmente, é um dos deveres da vida, alcançável essencialmente através da realização de acções (*karma*). Ao contrário dos cristãos, que seguem todos o mesmo código moral, o *dharma* hindu é uma palavra com muitas camadas. De facto, podia ser definida mais como um estilo de vida do que apenas como uma obrigação de fazer a coisa certa. O nosso *dharma* muda conforme se vai passando por diferentes patamares ao longo da vida e varia de pessoa para pessoa. O *dharma* de uma pessoa não é o de outra – e o que é o *dharma* de um grupo não é o de outro. É o *dharma* deste grupo que sustenta o sistema de castas hindu e, uma vez que 85 por cento dos indianos são hindus, garante que o sistema de castas domina a vida dos indianos.

A população indiana e as diferentes religiões

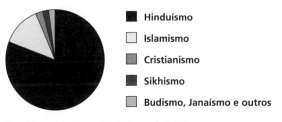

- ■ Hinduísmo
- □ Islamismo
- ▨ Cristianismo
- ■ Sikhismo
- ▨ Budismo, Janaísmo e outros

Fonte: Primeiro *Relatório sobre Religião: Censo da Índia*, 2001

Uma das religiões mais antigas do mundo, o Hinduísmo, data de há pelo menos três mil anos, do tempo em que os arianos começaram a povoar a Índia, durante o segundo milénio a. C. Não tem fundador, profeta ou apenas crente como outras religiões principais, mas envolve uma vasta panóplia de deuses e deusas, cultos e práticas – alguns conhecidos universalmente, outros adoptados por apenas uma mão-cheia de aldeias. Na verdade, o Hinduísmo é tanto uma religião prescritiva como extraordinariamente adaptável, que absorve constantemente divindades e filosofias novas, variando, por isso, a prática da religião, de tal forma que não seria possível no Cristianismo.

Diferenças regionais	Hindus	Muçulmanos	Cristãos	Sikhs	Budistas	Janaístas	Outros
% de crescimento por 10 anos	20,3	36,0	22,6	18,2	24,5	26	103,1
Rácio de sexo*	931	936	1009	893	953	940	992
Taxa de literacia*	65,1	59,1	80,3	69,4	72,7	94,1	47,0
Taxa de participação no trabalho	40,4	31,3	39,7	37,7	40,6	32,9	48,4
Rácio rural de sexo*	944	953	1001	895	958	937	995
Rácio urbano de sexo*	894	907	1026	886	944	941	966
Rácio de sexo infantil (0-6 anos)*	925	950	964	786	942	870	976

* Mulheres por 1000 homens

Os *Vedas*

No entanto, grande parte da lei religiosa vem dos textos sagrados conhecidos como *Vedas*, escritos entre 1000 a. C. e 500 d. C. Uma das doutrinas centrais é a ideia de reencarnação. A vida em que vamos renascer depende de como tratamos o *karma*. De acordo com os *Upanishads*, o apêndice dos *Vedas*, podemos renascer «como um verme, ou como uma borboleta, ou como um peixe, ou como um leão… ou como uma pessoa, ou outro qualquer ser nesta ou naquela condição». Para renascer numa forma melhor temos de viver de acordo com o nosso *dharma*. Se não, de certeza que descemos nos níveis da vida. No entanto, se vivermos bem a vida, ascendemos gradualmente tão alto que alcançamos o *moksha* – um estado perfeito de conhecimento e felicidade em que somos libertados dos ciclos do renascimento e nos fundimos com Brahman, o que / quem pode ser visto como o Deus Único, ou um género de consciência universal. Os *Upanishad* descrevem Brahman como

De onde os seres nascem,
De onde, quando nascem, vivem,
Para onde, quando morrem, entram.

O sacrifício é central para o *dharma* – não só ofertas aos deuses, mas também sacrifícios metafóricos de aspectos básicos da nossa natureza individual. Ao sacrificar essa individualidade danificada, ajudamos a nossa alma a fundir--se com Brahman. Portanto, não é de surpreender que os hindus coloquem forte ênfase na comunidade ou na lealdade de castas – e também não é de estranhar que tendam a aceitar a sua sorte na vida, uma vez que desafiá-la seria como que abandonar o seu *dharma* e garantir que a próxima vida seria pior.

Deuses hindus

Os hindus não são esquisitos quando se trata de incluir diferentes deuses e deusas. De facto, diz-se frequentemente que há 330 000 no seu panteão. Esta variedade espantosa não significa que os hindus acreditem que os deuses e as deusas sejam quase tão numerosos como as pessoas. Na verdade, acreditam em Brahman, o deus único, e todas estas divindades infinitas são essencialmente formas diferentes de Brahman. Mas a variedade permite aos hindus estabelecer a sua relação com os deuses de modo muito mais personalizado e íntimo do que alguma vez foi sonhado no Cristianismo e Islamismo. Existe uma história bem conhecida das *gopis*, as lindas donzelas da terra de Krishna. Quando um filósofo falava de quanto era intelectual pensar em Brahman e nas verdades supremas, uma *gopi* disse: «Está tudo muito bem em conhecer Brahman, mas será que a realidade derradeira te pode abraçar?»

Os três deuses hindus mais antigos e grandiosos, Brahma, Vishnu e Shiva, formam um triângulo perfeitamente equilibrado de criação, preservação e destruição. Brahma é o criador que põe o universo em movimento. É normalmente representado com quatro cabeças, cada uma recitando um dos Vedas. Vishnu é o que preserva e chega à Terra como um avatar (encarnação) sempre que a humanidade precisa de ajuda. Tradicionalmente, aparece montado no seu pássaro mítico, o Garuda, vestido de azul-escuro e com quatro braços a indicar os quatro pontos cardeais. Shiva é o destruidor, que frequentemente surge coberto com cobras, serpenteando e manchado de cinzas, dançando o *tandava*, a dança da destruição. Mas a destruição de Shiva é necessária e positiva, limpa as impurezas do mundo.

Cada um destes três deuses tem consortes deusas. A consorte de Brahma é Sarasvati, a deusa da aprendizagem. Vishnu tem Bhudevi, a deusa da terra, e Lakshmi a deusa da riqueza, prosperidade e fertilidade. Shiva tem uma série de consortes, cada uma encarna o princípio feminino ou *shakti*, incluindo Parvati, que aparece como Uma, a deusa dourada, a furiosa Durga, com dez braços, e a sedenta de sangue Kali, por vezes chamada de deusa da morte. Shiva e Parvati têm dois filhos, incluindo o alegre, sábio e pensativo deus Ganesh, com cabeça de elefante.

Rama é um dos vários avatares de Vishnu. Tornou-se o herói do épico Vedic em *Ramayana*, onde domina o demónio mais poderoso do mundo, Ravana de dez cabeças, que raptara o avatar de Lakshmi, Sita. Neste épico, Hanuman, o deus macaco, ajuda a salvar Sita. Entre muitos outros deuses hindus há Agni, o deus do fogo (que deu o nome ao primeiro míssil nuclear indiano), Varuna, o deus da chuva, e Yama, o deus da morte.

PERFIL: **SRI SRI RAVI SHANKAR**

Em 2006, um líder espiritual indiano chamado Sri Sri Ravi Shankar foi nomeado para o Prémio Nobel da Paz pelo congressista dos EUA, Joseph Crowley, que o descreveu, a ele o ao seu trabalho sobre a Fundação Arte de Viver, em Bangalore, como «um exemplo de resolução de conflito comunal, alimento da alma e infinitas possibilidades do espírito humano que tipifica o Prémio Nobel da Paz». Ele não ganhou, mas o seu papel na tentativa de negociar um acordo entre os lados opostos em Sri Lanka tem sido reconhecido.

Sri Sri Ravi Shankar é o mais famoso de uma nova geração de líderes espirituais indianos, que apela em especial aos jovens. No seu livro *In Spite of the Gods*, Edward Luce descreve Shankar em pessoa como se fosse «Jesus Cristo num anúncio de champô», com os seus longos canudos e barba e as suas túnicas brancas. Alguns comparam-no aos evangelistas da TV cristã dos EUA, com a sua abordagem virada para os *media*. Mas o modo pessoal brando de Shankar não podia ser mais diferente. Ele diz que não é de modo algum um evangelista: «Por que razão as pessoas se querem converter a outras religiões?... Devemos proteger a diversidade cultural do planeta e não tentar modificá-la.» A mensagem de Shankar chegou claramente aos ouvidos das várias castas que estão a fazer uma nova vida nas indústrias da Índia em desenvolvimento e descobriu que têm pequenos acordos com a tradicional religião hindu dominada por castas. A sua visão calma parece ser o verdadeiro antídoto para o stresse e confusão da vida do consumidor da alta tecnologia. Mais do que o «musculado» poder monolítico hindu do RSS, é isto que se parece aproximar mais da juventude indiana, pelo menos nas cidades. Talvez não seja de estranhar que a Fundação Arte de Viver de Shankar, no sul da Índia, tenha atraído fundos generosos de empresas de software nos arredores de Bangalore, permitindo-lhe construir um atraente e moderno centro de meditação, adornado por 1008 lindas pétalas de lótus esculpidas em mármore e salas cheias de luzes LCD. O apoio generoso permitiu também que a fundação espalhasse a mensagem e oferecesse programas humanitários em mais de 140 países, incluindo zonas de guerra como o Iraque.

Dividir a sociedade

É todo este conceito de dever e de *dharma* que está por detrás do sistema de castas indiano. A noção de reencarnação e de *dharma* conduziu à ideia de que as pessoas nascem numa classe específica, devido ao modo como viveram a sua vida anterior. Cada classe tem o seu próprio *dharma* e aqueles que vivem fielmente a sua classe *dharma* esperam renascer numa classe mais elevada. O sistema emergiu da divisão natural de trabalho na sociedade ariana, em sacerdotes, governantes e guerreiros, agricultores e comerciantes, criados e traba-lhadores, e estas divisões tornaram-se ao longo dos séculos codificadas em castas. Os hindus visualizam a sociedade como um corpo, no qual cada uma das classes tem o seu lugar – com as classes mais elevadas à cabeça e as classes mais baixas nos pés.

Um hino no *Rig Veda*, um dos textos védicos mais antigos, descreve como o sistema de castas foi criado pelos deuses desde o primeiro homem:

Em que se transformou a sua boca? Os seus braços?
Que nome deram às suas pernas? Aos seus pés?
A sua boca transformou-se nos sacerdotes;
os seus braços no príncipe guerreiro;
as suas pernas no louco comum que exerce o seu ofício.
O servo humilde nasceu dos seus pés.

Varnas e *jatis*

Então, os *Vedas* criaram quatro castas ou «*varnas*». No topo estavam os Brahmins, os sacerdotes e professores, a única casta autorizada a ler e a escrever. A seguir estavam os Kshatriyas, a classe guerreira, cujo *dharma* era serem os governantes do mundo. Abaixo estavam os Vaishyas, os agricultores e comerciantes, cujo *dharma* era cuidar das necessidades materiais da sociedade. A casta mais baixa era os Sudras, os criados, trabalhadores e artesãos, que executavam as tarefas inferiores da sociedade.

Dentro das quatro *varnas* existem perto de três mil subgrupos, chamados *jatis*. A *jati* a que pertencemos depende de quem foram os nossos pais e de quais foram as suas ocupações. A Sudra pode ter nascido da *jati* de um ferreiro. O seu pai e avós teriam sido ferreiros e as hipóteses são as de ele se tornar também um ferreiro. No entanto, mesmo que nunca tenha tocado numa bigorna ao longo da sua vida, ficará na sua *jati* de ferreiro para o resto da vida, assim como os seus filhos. A nossa *jati* não só determina a nossa carreira, mas também a área em que vivemos e até a comida que comemos. Normalmente, os hindus casam-se dentro da sua própria *jati* – os que casam fora arriscam-se a ser condenados ao ostracismo, ou pior ainda, embora isto esteja a mudar.

TEMPLOS HINDUS

Os primeiros templos hindus foram feitos de madeira e nenhum sobreviveu, mas no tempo dos imperadores Gupta (320-650 a. C.) começaram a construir-se centenas em pedra e alguns deles ainda estão de pé, incluindo o assombroso templo Deogarh, no norte da Índia. Um dos templos mais impressionantes é  a pirâmide de pedra feita ao deus sol Surya, em Konarak, perto de Orissa. Konarak, extraordinariamente, permaneceu subterrada na areia durante séculos até ter sido redescoberta nos anos 20. É famosa pelas suas espantosas gravuras eróticas, ilustrando o *Kama Sutra*. O Hinduísmo nunca teve os mesmos problemas que as religiões ocidentais têm em combinar o carnal com o espiritual! Mas o grande centro da religião hindu é Varanasi, nas margens do Ganges, onde milhões de hindus, todos os anos, se banham pelos degraus de pedra ou Ghats. Pensa-se que qualquer hindu que morra em Varanasi alcança instantaneamente o *moksh* e é por isso que vêm tantos até aqui nos seus últimos dias.

Quando um novo templo está para ser construído, o sacerdote desenha primeiro uma *mandala*, um padrão que encapsula o cosmos e providencia um guia para a colocação de todas as salas. Ao contrário das igrejas cristãs e das mesquitas muçulmanas, não existe um átrio grande central, mas sim um pequeno sacrário interior. Este é o ovo de onde começam todas as vidas e é o local de residência de deus, marcado por uma espiral ou *vimana*. A água tem um papel crucial na religião hindu, proporciona purificação, por isso muitos templos são construídos junto aos lagos e rios, ou são equipados com uma grande banheira onde o hindu mergulha para se limpar antes do culto.

KUMBH MELA

Mais ou menos a cada três anos, os hindus reúnem-se em Prayag (Allahabad), Haridwar, Ujjain e Nashik para celebrar um festival gigantesco chamado *kumbh mela*. A palavra *kumbh* significa «urna» e *mela* quer dizer «festival». Os festivais celebram um dos grandes mitos hindus da criação. Após a criação do mundo, os deuses criaram oferendas que saíram da espuma do primeiro oceano. O mais valioso era uma urna que continha um néctar que tornava imortal qualquer pessoa que o bebesse. Segundo a história, a urna foi roubada por demónios, mas Vishnu arrebatou-a de volta e voou para longe disfarçado de gralha, sendo perseguido pelos demónios. Durante o voo, Vishnu ou descansou em quatro lugares ou deixou cair quatro gotas do néctar nestes locais, que agora acolhem os *kumbh* melas.

O maior dos festivais é o gigantesco de Prayag (Allahabad) – o Maha (Grande) Khumb Mela –, que tem lugar a cada doze anos. O Maha Khumb Mela de 2001 reuniu o maior número de religiosos que o mundo alguma vez testemunhou, alguns dizem que eram setenta milhões de pessoas, reunidas para este extraordinário acontecimento. Se imaginarmos toda a população do Reino Unido a concentrar-se em Londres, no Hyde Park, teremos uma pequena ideia da magnitude do evento. Todos os *kumbh melas* têm obrigatoriamente de se realizar na confluência dos rios, e o de Prayag não é excepção. Para que se realize o Maha Khumb Mela, é preciso montar um acampamento gigantesco nos terrenos planos entre os rios Yamuna e Ganges, cerca de um mês depois de as monções acabarem e de o nível da água ter baixado. É uma operação espantosa que envolve escavar vários poços para obter água potável, instalar centenas de quilómetros de canos, construir cerca de uma dúzia de pontes flutuantes sobre o Ganges, assentar quilómetro após quilómetro de chapas de aço para fazer estradas, e muito, muito mais. Por vezes, as condições podem ser, no mínimo, desafiadoras. No entanto, todos estes largos milhões de pessoas se reúnem no grande dia do festival, com muito poucos problemas de criminalidade ou mesmo de saúde. Em 2003, no Kumbh Mela de Nashik, 39 peregrinos morreram esmagados quando uma multidão começou a deslocar-se depressa demais, mas tratou-se de um trágico incidente isolado.

Os «poluentes»

Além das *varnas* e das *jati*, para lá dos aceitáveis degraus da sociedade, estavam os indizíveis – os «intocáveis», de tal modo banidos que nem sequer lhes foi atribuído um nome, e que são mencionados nos *Vedas* apenas como uma fonte de poluição. Porque se pensava que poluíam, acreditava-se que nenhuma outra casta podia ter qualquer espécie de contacto com eles e que nunca deveria comer alimentos por eles confeccionados. O papel que ocupavam na sociedade era o de desempenharem as tarefas que mais ninguém queria, desde limpar «o solo-nocturno» (excrementos humanos) a curtir cabedal proveniente de vacas que pereceram de morte natural.

Para os ocidentais, todo este sistema parece ser o combustível para alimentar uma revolução, mas os historiadores demonstraram que sempre foi muito mais flexível do que aquilo que os textos implicam. O estatuto de cada *jati* mudava constantemente e os indivíduos podiam até mover-se entre as diferentes *jati*. Ainda assim, o sistema de castas criava ressentimentos, e muitos hindus converteram-se ao Cristianismo, Islamismo ou Budismo como forma de fuga. Já no século XII, o Islamismo abriu caminho a uma série de movimentos de secessão anticastas, conhecidos por *bhakti*, que enfatizam a igualdade de todos perante Deus. Mas, curiosamente, estes grupos foram gradualmente reabsorvidos pelo Hinduísmo, que, vezes sem conta, prova ser extraordinariamente maleável, apesar da sua aparente rigidez.

A sobrevivência das castas

Contudo, o eterno poder do sistema de castas hindu aplicado à moldagem do modo de vida indiano tem sido algo de espantoso. Nunca agrupamentos sociais tão bem demarcados conseguiram persistir durante tanto tempo – praticamente três mil anos – em nenhuma outra sociedade, nem sobreviver tão bem à chegada da Idade Moderna. Muitos indianos esperavam que o advento da democracia fosse finalmente eliminar as barreiras. No fim de contas, o sufrágio universal fazia com que todos os eleitores se tornassem iguais. Todavia, as castas parecem estar em determinados aspectos mais entrincheiradas do que nunca, uma vez que o declínio do domínio político do partido congressista durante os últimos quinze anos permitiu o aparecimento de inúmeras mesas de voto e de partidos totalmente baseados em castas.

No entanto, tem havido mudanças – especialmente nas cidades, onde o convívio muito próximo as compeliu. A necessidade e as oportunidades criadas pelo desenvolvimento económico fizeram com que as pessoas começas-

sem a procurar e a ter empregos fora das tradicionais bases de castas – e é claro que existem muitos novos trabalhos que simplesmente não se enquadram no modelo tradicional. O trabalho nas TI, em particular, agrega pessoas de diferentes castas de um modo que há apenas trinta anos seria impensável. Até o casamento entre castas diferentes está em ascensão. E existe um elemento do sistema de castas que começou realmente a mudar – a posição dos intocáveis, a casta que não é uma casta.

Os oprimidos

Para começar, já não são chamados intocáveis, pois o termo é considerado ofensivo. Actualmente são quase sempre chamados Dalits. Mahatma Gandhi chamou-lhes «*harijan*», os filhos de Deus, numa tentativa de lhes elevar o estatuto, mas agora pensa-se que esta é uma expressão algo condescendente. A palavra *Dalit*, que significa «oprimido» ou «maltratado», foi usada pela primeira vez pelo Dr. Bimrao Ambedkar e tornou-se popular nos anos 70 pelo grupo activista Dalit Panthers, que se inspirou nos americanos Black Panthers.

Apesar de pouco conhecido fora da Índia, Ambedkar foi, juntamente com Nehru e Gandhi, um dos três arquitectos da independência da Índia, e foi ele, mais do que ninguém, o responsável pela constituição indiana. Espantosamente, ele próprio era um Dalit, e acreditava piamente que, com a chegada da democracia, viria também o fim da opressão dos seus. Até criou uma cláusula na Constituição, chamada sistema de reservas – um precursor da discriminação positiva –, que assegurava aos Dalits o acesso a um determinado número de postos de trabalho no Governo e a cargos em faculdades.

OS MOTINS DE MAHARASHTRA

A violência entre castas é uma ocorrência comum na Índia, mas o horrendo assassinato de quatro membros da família Bhotmange, a 29 de Setembro de 2005, atingiu uma artéria principal. Os Bhotmanges eram Dalits, mas não uma família tipicamente Dalit. Eram Mahars, que sempre foram uma casta Dalit mais bem sucedida. O Dr. Ambedkar era um Mahar e os Mahars têm feito progressos significativos nos últimos anos. Os Bhotmanges, apesar de pobres, estavam a sair-

-se particularmente bem. Priyanka Bhotmange, a filha de 17 anos, tinha terminado o liceu como a melhor da turma e tinha um futuro brilhante pela frente. Essas aspirações enfureceram, sem dúvida, a casta Kunbi, uma casta ainda pobre, mas digna, sem ser Dalit. Pior ainda, a Sra. Surekha Bhotmange e Priyanka haviam ousado identificar em tribunal os responsáveis pelo espancamento de um familiar que tinha feito parte de uma manifestação para proteger as terras. Na noite após a audiência do tribunal, uma multidão furiosa, que podia ser ou não Kunbi, desceu até à cabana dos Bhotmange. Despiram Surekha, Priyanka e os dois irmãos. Ordenaram aos rapazes que violassem a mãe e a irmã. Quando recusaram fazê-lo, a família foi chicoteada até à praça da aldeia, onde os rapazes foram mortos à machadada e as mulheres violadas repetidas vezes, mortas e atiradas para um canal.

Enquanto a polícia tentava abafar o caso, a juventude Dalit deu início a uma manifestação de protesto para obter justiça. A polícia investiu contra os activistas para acabar com a manifestação. Mais tarde, a 28 de Novembro, decapitaram uma estátua de Ambedkar na cidade de Kanpur, em Uttar Pradesh. Apesar de Kanpur ser longe de Maharashtra, que fica no Norte, o incidente serviu de faísca e deu início a uma conflagração no Sul. Durante os dois dias seguintes, começaram a surgir motins Dalit por toda a Maharashtra, sendo os mais graves em Mumbai, onde centenas de autocarros foram apedrejados e um grupo de jovens Dalit parou o comboio das elites, o Deccan Queen, que é um símbolo do luxo das castas superiores, pediu aos passageiros que saíssem e em seguida incendiou-o.

O Governo indiano estava preocupado. Esta era a primeira vez que os jovens Dalits saíam às ruas para protestar desta forma, e algumas pessoas compararam o acontecimento aos motins de França, iniciados em 2005 pela juventude imigrante desfavorecida. Sonia Gandhi interveio imediatamente e encontrou-se com o Sr. Bhotmange, que estava a trabalhar nos campos quando a multidão atacou a família, e garantiu-lhe que os assassinos enfrentariam a justiça. Entretanto, a polícia de Kanpur prendeu um jovem Dalit que admitiu ter vandalizado a estátua porque estava embriagado. Alguns Dalits de Kanpur alegaram que o jovem estava a ser injustamente incriminado e levaram o protesto às ruas. Os motins acabaram por esmorecer, mas algumas pessoas perguntam-se se esta rebelião da juventude Dalit terá um novo desenvolvimento significativo.

Empregos reservados

Cerca de 8 por cento dos lugares nos parlamentos nacionais e estatais estão reservados aos chamados candidatos «Agendados de Castas e Tribos». Metade de todos os empregos do Estado está agora reservada a três classes desfavorecidas ou às chamadas classes «Atrasadas» – os Dalits, os Adivasis (um povo tribal), e «outras Classes Social e Economicamente Atrasadas» como a casta Yadav – que, ao todo, somam quatrocentos milhões. Estes empregos reservados não são atribuídos por concurso, são simplesmente distribuídos pelos líderes de cada casta ou vendidos a quem pagar mais.

Todavia, o Sistema de Reservas tem vagarosa e discretamente estabelecido uma diferença significativa no modo como os pouco mais de duzentos milhões de Dalits interagem com os restantes membros da sociedade indiana. Gradualmente, as outras castas têm-se habituado cada vez mais a interagir diariamente com os «intocáveis» e muitos Dalits têm aproveitado as oportunidades para escalar os degraus das carreiras. A Índia até teve um Presidente Dalit, K. R. Narayanan, eleito em Julho de 2002, em grande parte por hindus de castas superiores. Mas o Sistema de Reservas continua a provocar ressentimentos amargos, por um lado no seio de algumas das castas mais elevadas e, por outro, entre os Dalits, que não concordam que o sistema seja limitado a Dalits hindus.

O poder do patrocínio

Hoje em dia, muitas pessoas afirmam que o sucesso deste plano é, em si mesmo, um obstáculo ao futuro desenvolvimento dos pobres que residem na Índia. Agora o único verdadeiro objectivo de muitos partidos indianos de castas mais baixas é obter mais empregos reservados no seio do Governo, e os políticos são eleitos ou expulsos dependendo do sucesso que têm em conseguir patrocínio em termos de empregos reservados. Lalu Prasad Yadav, um dos principais políticos Yadav, mobilizou votos Yadav em massa, para ajudar à vitória de Manmohan Singh nas eleições de 2004. Em troca, foi-lhe atribuída a pasta de ministro dos Caminhos-de-Ferro – que tem a seu cargo a extraordinária força laboral de 1,5 milhões de pessoas e pode proporcionar um patrocínio de empregos numa escala verdadeiramente gigantesca. Como é óbvio, Lalu opõe-se vivamente a qualquer racionalização ou recolocação da força de trabalho – e é ainda mais hostil à ideia de privatização. Está, de facto, a fazer campanha a favor da extensão do sistema de trabalho reservado às empresas privadas. É este poder de patrocínio que tem muitas vezes assegurado que os

Dalits tenham tendência para votar nos políticos que prometam o melhor patrocínio em detrimento daqueles que podem genuinamente oferecer uma esperança para a melhoria de vida dos muitos indianos desprivilegiados. Na verdade, provar que se votou num político que seja eleito ajuda a pessoa a encontrar emprego.

Actualmente, o Dr. Ambedkar continua a ser tido em grande consideração por um extenso número de Dalits, mas o sonho de que a democracia deitaria por terra o sistema de castas e elevaria os Dalits até ficarem em pé de igualdade com o resto da sociedade indiana continua por realizar. Ao contrário de países como o Reino Unido, onde a extensão do direito de voto a todos os cidadãos trouxe consigo melhorias para todos, os Dalits parecem ter-se entrincheirado, de certo modo, dentro da mesma casta, com batalhas mortíferas que caracterizam todas as castas mais elevadas. A democracia criou óptimas oportunidades para alguns Dalits, mas também deixou muitos outros para trás. Mas existem indícios de que isto possa estar a mudar, pois o número de Dalits que começa a ir viver para as cidades, a iniciar carreiras e a descobrir modos de vida mais flexíveis é cada vez maior.

PERFIL: LALU PRASAD YADAV

«Sempre que alguém escreve sobre Bihar, menciona problemas na lei e na ordem, ou então fala de violência entre castas. Isso acontece porque na Índia os meios de comunicação são dominados pelas castas superiores. Até os estrangeiros se deixam enganar por estas coisas.»

Palavras de Lalu Prasad Yadav, um dos políticos indianos mais vivos. Lalu é a força dominante em Bihar, o Estado mais pobre e desregrado da Índia. Bihar é o âmago indiano do crime e da extorsão, com uma média de seis pessoas – normalmente crianças de castas mais altas – a serem raptadas por dia com a exigência de um pagamento de resgate. A maioria das pessoas acredita que os políticos de Bihar estão profundamente envolvidos nestas esferas criminosas. Com uma grande escassez de

patrocínios, os políticos limitam-se simplesmente a apelar ao padrinho da máfia local para acumular fundos através de extorsão. Um quinto dos candidatos às eleições de Bihar em 2004 enfrentava acusações criminais, incluindo rapto e homicídio – e provavelmente muitos outros mantinham ligações criminosas. Os candidatos só são impedidos de continuar a exercer funções se forem condenados.

Grande parte da história de Bihar esteve, desde a Independência, nas mãos de uma máfia de casta superior, e o Estado foi sobrecarregado com a pobreza mais extrema e com as piores condições sociais da Índia. Quando Lalu Prasad Yadav subiu ao poder, em 1991, transmitiu esperança ao povo de Bihar. Tal como eles, provinha de uma das chamadas castas «Atrasadas», um Yadav que cresceu numa cabana feita de lama, filho de um guardador de rebanhos pobre. Era dinâmico, frontal e espirituoso. Os desprivilegiados – Yadav, Muçulmanos e Dalit – acreditaram no seu estandarte de justiça social e proporcionaram-lhe uma vitória esmagadora. Enquanto chefe do governo regional de Bihar, revelou-se uma figura popular, deliciando toda a gente com o seu toque comezinho, conhecido por caminhar pelas ruas a passos largos, por desimpedir o trânsito com gritos ruidosos e por albergar vacas na sua residência oficial.

Mas nada pareceu sofrer grandes alterações enquanto Lalu esteve no poder, e afinal veio a saber-se que estava envolvido nos mesmos problemas legais que todos os outros. O seu gabinete incluía gângsteres procurados por homicídio e rapto e, em 1997, o próprio Lalu foi preso por defraudar o Estado em milhões de rupias. O país ficou chocado, uma vez que Lalu figurava como alguém que se batia pela justiça social. Mas nem isso parou o imparável Lalu. Pura e simplesmente continuou a governar a partir da prisão, nomeando a esposa analfabeta, Rabri Devi, sua sucessora. Esta passou a ser conhecida por «Devi Borracha» porque se dizia que se limitava a usar um carimbo de borracha para aprovar as decisões que o marido tomava na prisão.

Lalu saiu da cadeia após uma curta temporada e retomou as funções no ponto em que as deixara, continuando a governar (ou a desgovernar) Bihar por mais oito anos da mesma maneira rude, evitando questões embaraçosas colocadas pelos jornalistas sobre crianças raptadas, com um sorriso e um agitar de dedo. Por fim, em 2005, Nitish Kumar, um novo defensor das castas «Atrasadas», derrotou Lalu com a promessa de finalmente fazer algo por Bihar. Mas Kumar é, no míni-mo, suspeito de manter mais ligações criminosas do que Lalu, e a situação de Bihar quase não melhorou desde 2005. Lalu continua a gozar de um enorme apoio entre os 54 milhões de Yadavs, especial-mente em Bihar, e são muito poucos os que duvidam de que regres-se ao poder. Entretanto, Lalu tem uma grande compensação no lugar que ocupa no gabinete de Manmohan Singh, como ministro dos Caminhos-de-Ferro do governo nacional, passeando-se com o seu tradicional turbante e roupas rústicas – combinadas, é claro, com uns sapatos imaculadamente brancos.

O progresso do Sul

Curiosamente, enquanto as divisões de castas são ferozes no Norte sobre-povoado, mas ainda assim maioritariamente rural, no Sul da Índia amenizaram--se na urbanizada Tamil Nadu. Notavelmente, a acção positiva em termos de empregos reservados já dura há muito mais tempo e foi muito mais longe do que em qualquer outro lugar. Este sistema teve início em Tamil Nadu já nos dis-tantes anos 20, muito antes da própria Independência, e agora quase 70 por cento dos empregos estatais estão reservados para o sector «Atrasado». Como consequência, os Dalits e as castas mais elevadas têm trabalhado lado a lado há tanto tempo que isso quase já nem é problema, e talvez não seja surpresa que Tamil Nadu seja mais eficiente do que qualquer outro Estado indiano em cuidar dos seus desprivilegiados – provou até ser extraordinariamente eficaz em facultar auxílio às pessoas mais pobres atingidas pelo devastador tsunami de 2004.

Contudo, apesar destas alterações, a maioria das pessoas passa a vida intei-ra limitada pelas fronteiras da sua casta. Vivem nos mesmos bairros, casam com pessoas da mesma casta e votam num membro da mesma casta em todas as eleições. É frequente castas aparentemente opostas unirem-se politicamente para formar alianças, mas, regra geral, isso acontece apenas devido a um estrito interesse mútuo – e, se a aliança não o alcançar, é prontamente abandonada.

«SANSCRITIZAÇÃO»

Em Inglaterra, as pessoas podem dizer que a classe trabalhadora está a subir de nível. Na Índia, a democracia e a melhoria das condições económicas estão a trazer a «sanscritização» às castas mais baixas. A palavra sânscrito refere-se obviamente à lín-gua clássica, que apenas os Brahmins podiam falar e escrever. A sanscritização descreve a tendência das classes mais baixas em adoptar hábitos e estilos de vida das castas superiores – prestar culto aos mesmos deuses, ir aos mesmos festivais, vestir as mesmas roupas, decorar as casas da mesma maneira e por aí fora. Antigamente era fácil saber qual a casta de um hindu pelo modo como se vestia ou pelo aspecto da casa onde morava. Agora, especialmente nas cidades, começa a ser cada vez mais difícil fazer essa distinção. As castas mais baixas só se mantêm fiéis às suas castas no que diz respeito aos hábitos eleitorais, de modo a ajudá-las na ascensão.

Islamismo

Os fundamentalistas hindus defendem ferozmente que o Islamismo é uma religião estrangeira implantada em solo indiano e que, portanto, a Índia não tem lugar para ele. Mas o Islamismo chegou a este país quase tão cedo como o Cristianismo chegou à Grã-Bretanha e os muçulmanos e os hindus têm aqui vivido lado a lado há mais de mil anos. Os muçulmanos que estão na Índia são tão indianos quanto os hindus. Falam a mesma língua, comem muita da mesma comida, vêem os mesmos programas de televisão e partilham as mesmas cidades e aldeias. Apesar de existirem algumas áreas de maior concentração muçulmana do que outras, os muçulmanos espalharam-se por todo o país e vivem entre os hindus. Só são uma maioria em Jammu e Caxemira, embora perfaçam uma proporção considerável da população de Assam, Bengala Ocidental, Kerala e Uttar Pradesh. Por outras palavras, coexistem com hindus quase por toda a Índia.

Os muçulmanos são uma minoria, mas uma minoria substancial. Na verdade, existem 120 milhões de muçulmanos na Índia – mais do que em qualquer outro lugar do mundo, à excepção da Indonésia, mais até do que no Paquistão. Para Nehru, era evidente desde o início que fazem parte da Índia, tanto como os hindus, não obstante a Partição, que fez com que muitos fossem para o Paquistão. «Temos uma minoria muçulmana tão numerosa que, mesmo que quisesse, não poderia ir para qualquer outro lugar. Têm de viver na Índia», escreveu Nehru aos dirigentes de Estado em 1947.

Muçulmanos contra hindus

Nos últimos anos, as tensões entre hindus e muçulmanos têm-se inflamado e os incidentes tais como a destruição da mesquita de Ayohdya e os motins de Gujarate em 2002 abriram uma ferida muito profunda na consciência pública. As organizações supremacistas hindus como a RSS e partidos como o Shiv Sena têm veementemente aclamado uma linha antimuçulmana. O PBJ só atingiu o lugar ao sol no seio do governo devido ao apoio às suas credenciais antimuçulmanas. No entanto, curiosamente, quando chegou a hora da verdade, os indianos – hindus e muçulmanos – parecem ter-se afastado um pouco do raiar dos confrontos. Os motins de Gujarate podem muito bem ter sido simultaneamente o auge e o ponto mais baixo, enquanto apoio às ondas de partidos extremistas.

Curiosamente, um estudo de 1990 sobre os motins hindu-muçulmanos demonstrou que estes foram na realidade muito raros, excepto em dois pontos problemáticos de Gujarate – Ahmedabad e Vadodara. Até nos Estados mais propensos à violência, os motins acabaram confinados a apenas alguns centros extra-voláteis. Na verdade, a maioria dos indianos muçulmanos e hindus coexiste muito mais pacificamente do que aquilo que os cabeçalhos sensacionalistas e a terrível história da Partição possam sugerir.

O voto muçulmano

O processo democrático pode muito bem ser uma explicação para este facto. Os muçulmanos são suficientemente numerosos para terem um impacto significativo na formação do governo, tanto a nível regional com a nível nacional. E os políticos sabem-no. Para chegarem ao poder e lá permanecerem, não podem simplesmente dar-se ao luxo de ignorar os muçulmanos. Algumas pessoas mostraram-se surpreendidas quando Vajpayee, o Primeiro-Ministro do

PBJ, estendeu uma mão conciliatória aos muçulmanos, mas na verdade estava apenas a ser pragmático.

Em Uttar Pradesh, Estado que tem mais membros no Parlamento do que qualquer outro, um em seis eleitores é muçulmano e os seus votos têm um impacto muito importante no resultado das eleições em 125 círculos eleitorais – mais de um quarto de toda a Lok Sabha. Podem ser uma minoria, mas os muçulmanos não são uma minoria muito mais pequena do que os Dalits, que estão a começar a ter um impacto político crucial em todas as urnas de votos. Não é somente a mão-cheia de membros muçulmanos no Parlamento que depende do voto muçulmano, o mesmo acontece com muitos dos principais partidos. Enquanto esta situação se verificar, talvez se ponha um travão natural aos extremismos do fundamentalismo hindu que se instala.

No livro *Being Indian*, Pavan Varma salienta o facto de que muitas vezes os hindus e os muçulmanos têm demasiados interesses em comum para deixar que as tensões se descontrolem excessivamente. Em Lucknow, os comerciantes hindus dependem dos hábeis trabalhadores muçulmanos para lhes fornecerem os bordados *chikan/zardozi*. Em Sitapur, hindus e muçulmanos trabalham juntos na indústria de tapeçaria. E, em Varanasi, os muçulmanos tecem os famosos *saris* Banasari, enquanto os hindus lhes financiam a actividade. Parece que, durante os motins de Gujarate, os chefes de negócios hindus e muçulmanos puseram anúncios nos jornais a pedir calma e a dizer que «Gujarate é e vai continuar a ser propícia ao negócio».

No entanto, muçulmanos e hindus têm perspectivas diferentes sobre a vida. Contrastando com a vasta panóplia de deuses que os hindus veneram, os muçulmanos crêem em apenas um, Alá, e condenam a adoração de ídolos, que é uma parte integrante da religião hindu. E têm, obviamente, os seus próprios festivais e restrições alimentares, que, é claro, não se aplicam à carne, desde que os animais sejam abatidos conforme as normas da religião.

A chegada do Islamismo

O Islamismo começou em Meca no século VII d. C., onde um jovem comerciante de especiarias com o nome de Maomé começou a preocupar-se com as consequências da procura de riqueza. Isolado numa caverna na montanha Hira, para meditar, Maomé foi assolado por uma visão resplandecente que lhe transmitiu a revelação final e definitiva da vontade de Deus, que escreveu como o Alcorão. Ao descer a montanha, Maomé começou a pregar a sua mensagem no sentido de abandonar a busca da riqueza e de aceitar Alá, o Deus único. A mensagem de Maomé espalhou-se rapidamente entre os pobres e os oprimidos ao longo do mundo árabe e, no espaço de vinte anos, o Islamismo era não só uma das religiões mais importantes, como também um exército vitorioso que se espalhava com uma força tremenda pelo Médio Oriente, Norte de África e Índia.

Pouco depois do seu nascimento, o Islamismo foi dilacerado por um cisma enorme. Maomé morreu em 632 sem deixar herdeiros – e os muçulmanos estavam divididos quanto àquele que deveria ser o líder religioso ou calif a – o genro de Maomé, Ali, ou a elite árabe. Ali afastou-se da confusão durante algum tempo e a elite árabe providenciou o califa. Mas quando o calif a começou a deleitar-se demasiado com os frutos da conquista, explodiu um ressentimento entre os pobres e Ali foi impelido para o califado. Cinco anos mais tarde, Ali foi assassinado e a elite árabe retomou o califado para proclamar o seu domínio por todo o mundo muçulmano.

Desde sempre tem havido uma divisão inconciliável entre os apoiantes do califado árabe, os sunitas, que se vêem a si próprios como os verdadeiros crentes que transmitem a palavra de Maomé, e os apoiantes de Ali, os xiitas Ali (irmãos de Ali), que rejeitam todos os califados como usurpadores do legado do profeta.

Hoje em dia, os sunitas estão em grande maioria. Cerca de 20 milhões dos 145 milhões de muçulmanos na Índia são xiitas, enquanto a maior parte dos restantes é sunita, ainda que muitos sunitas sigam o caminho místico do Sofismo em vez da tradição mais zelosa sunita dos árabes. Na Índia, xiitas e sunitas não parecem estar tão fortemente divididos como no Iraque, por exemplo, até trabalham em conjunto no All India Muslim Personal Law Board (AIMPLB) que, sob a Constituição indiana, pode criar leis separadas para os muçulmanos em assuntos como o casamento, o divórcio e a herança. Nos últimos anos, os xiitas começaram a queixar-se de que os seus pontos de vista não estão a ser levados em conta pelo AIMPLB, mas trata-se de uma disputa legítima, não de uma batalha sangrenta.

O Islamismo chega à Índia

O modo como o Islamismo chegou à Índia é objecto de uma disputa terrível. Os hindus nacionalistas apoiam a ideia, em comum com muitos historiadores não partidários, de que chegou por conquista. Diz-se que o exército muçulmano chegou à Índia e converteu as pessoas através de uma *jihad* sistemática. Segundo o historiador Sir Jadunath Sarkar, «Recorreram a todos os planos de

massacre a sangue frio para converter os pagãos.» Não há dúvida de que houve muitas incursões muçulmanas sangrentas e violentas, como a de Mahmud de Ghazni, que atacou violentamente o Norte da Índia saqueando os templos. No século XII, os turcos muçulmanos invadiram Deli e implantaram-se na zona como sultões. No entanto, outros historiadores salientam que o Islamismo converteu muitas pessoas pacificamente na Índia muito antes de os assaltantes chegarem, como, por exemplo, os construtores de navios muçulmanos instalados na costa do sul no século sétimo. Aquilo que os historiadores dizem importa obviamente aos hindus, que pensam que o Islamismo é um intruso agressivo, e aos que pensam que é uma parte antiga e genuína do tecido religioso indiano.

Sikhs

O sikhismo é a religião mais recente da Índia. Formou-se no século XVI com a primeira série de dez gurus, Guru Nanak (1469-1539), que retirou elementos tanto do Hinduísmo como do Islamismo para criar uma religião que, como o Budismo, era centrada na meditação e não no ritual. Nanak pregou, como os hindus, que, ao seguirem o seu *dharma*, os devotos podiam libertar-se do infindável ciclo do renascimento e atingir *moksha*, a união com Deus. Mas acreditava que *moksha* não precisava de esperar pela vida após a morte nem pela ascensão de castas. Era atingível nesta vida, por todos os homens e mulheres, sem olhar a castas. Não é de admirar que, para muitos hindus de castas inferiores, o sikhismo tenha oferecido uma promessa de que pelo menos lhes dava alguma réstia de esperança.

Contudo, na era dos imperadores mogóis, os sikhs eram frequentemente perseguidos e, em 1699, Gobind Singh, o décimo guru, obrigou-os a entrar para uma comunidade armada a que ele deu o nome de Khalsa, cuja vocação era lutar contra a opressão, ter fé num único deus e proteger a fé com aço. A identidade deles era definida pelos cinco Ks: *kesh* (cabelo por cortar), *kangha* (pente), *Kirpan* (espada), *kara* (pulseira de aço) e *kachcha* (calções). Em vez de nomes de castas, os homens seriam chamados Singh («leão») e usavam um turbante e as mulheres seriam chamadas Kaur («leoas»).

A sua tradição marcial e as exigências de alguns sikhs, frequentemente sustentadas por violentos protestos pela independência de um Estado Sikh no Punjab com o nome de Khalistan, deram aos sikhs a reputação de serem perigosos. A situação tornou-se muito complicada, quando, nos anos 80, um jovem rebelde líder sikh, Sant Jarnail Singh Bhindranwale, no princípio encorajado por Indira Gandhi para dividir os sikhs, lançou uma campanha terrorista para alcançar um Khalistan independente. O problema foi ter como base o altar mais sagrado dos sikhs, o fantástico Templo Dourado em Amritsar. Quando, em Junho de 1984, o exército indiano atacou violentamente o templo, perderam-se muitas vidas e o templo foi bastante danificado. Bhindranwale foi assassinado no ataque e logo aclamado como mártir. Quatro meses mais tarde, Indira Gandhi foi morta por dois dos seus guarda-costas sikh, enquanto apanhava o ar da manhã no seu jardim em Deli. Na violência que se seguiu contra os sikhs, muitos políticos governamentais não só fizeram de conta que não viram, como, na verdade, encorajaram a violência, tendo as feridas levado mais de duas décadas a sarar. Agora, com um sikh como Primeiro-Ministro, na pessoa de Manmohan Singh, parece que o pior já passou.

Budismo

O Budismo é uma das poucas religiões antigas do mundo que começou com uma reconhecida figura histórica que viveu na Índia no século VI a. C. Após a sua morte, em cerca de 483 a. C., Buda foi cremado e as suas cinzas distribuídas por oito *stupas* (sacrários memoriais). Nos anos 60, Sooryakant Narasinh Chowdhary, um estudante indiano licenciado em Arqueologia, descobriu um destes lugares de repouso. Numa área remota do Indiaat Sanchi oriental, Chowdhary encontrou dois túmulos antigos e, juntamente com a sua equipa, escavou para encontrar os restos de um antigo sacrário budista. No meio estava uma caixa de pedra redonda que continha uma pequena garrafa dourada cheia de cinzas. Havia uma inscrição que confirmava a identidade e que dizia: «Esta é a casa das relíquias de Dashabala (Buda)».

Portanto, não há dúvidas em relação à autenticidade deste grande líder religioso indiano. Buda, que significa «O Iluminado», foi um príncipe indiano chamado Siddartha Guatama, que viveu em Lumbini, perto da fronteira com o Nepal. Ficou toda a sua vida na Índia e foi o povo indiano que espalhou as suas ideias pela China e pelo resto da Ásia, onde agora é muito mais venerado do que na Índia.

Estranhamente, as organizações de orgulho hindu tratam esta religião indiana como sendo uma implementação estrangeira. Agora, apenas duas comunidades principais da Índia praticam budismo, nomeadamente os dalits e também os tibetanos em exílio, particularmente em Himachal Pradesh, onde vive o Dalai Lama. O grupo dalit de budistas, por vezes chamados neobudistas, foi inspirado por Bimrao Ambedkar nos anos 50, quando o grande político

Dalit, no leito de morte, mudou para uma religião que não reconhece castas. «Ninguém é uma pessoa sem casta por nascimento», disse Buda, «nem ninguém é Brahmin por nascimento.» Muitos Dalits, especialmente entre os Mahars de Maharashtra, seguiram o exemplo do Dr. Ambedkar e tornaram-se budistas.

O oitavo caminho para o esclarecimento

A lenda refere que Buda começou o seu caminho para o esclarecimento quando tinha 29 anos e já tinha um filho com 13. A história conta que o seu condutor de coche o levou para fora do palácio pela primeira vez e viu um velho muito doente e um cadáver. Espantado, apercebeu-se de que tinha de deixar o palácio e descobrir a razão de tamanho sofrimento. Depois de ter viajado pela Índia durante seis anos e de não encontrar respostas, apesar de ir ouvindo todos os mestres que conseguia encontrar, sentou-se debaixo de uma árvore *bodhi* em Bodhgaya (Bihar) e começou a meditar longa e calmamente. Foi durante esta meditação que foi finalmente iluminado e apercebeu-se de que todos os seres vivos estão ligados entre si numa cadeia de causa e efeito – e que esses problemas aumentam quando pensamos em nós como seres separados e por isso não somos capazes de viver harmoniosamente. Nos 45 anos seguintes até à sua morte, Buda passou o seu tempo a ensinar aquilo que tinha descoberto – e em particular que toda a infelicidade é causada pelo desejo, que pode ser eliminado seguindo o seu oitavo caminho:

Compreensão correcta (ver o mundo como ele realmente é)
Intenções correctas (bondade e compreensão)
Discurso correcto (evitar dizer mentiras e falar em vão)
Acção correcta (não magoar os seres vivos, não roubar, não se entregar a relações sexuais erradas, álcool ou drogas)
Meio de vida correcto (ganhar a vida de uma forma justa e honesta sem prejudicar os outros)
Esforço correcto (saber aquilo que se é capaz de fazer usando apenas a quantidade certa de esforço)
Sabedoria correcta (estar alerta acerca do que se passa à nossa volta e dentro de nós)
Concentração correcta (aplicar a mente por completo à meditação e a tudo o que se faça).

Buda acreditava que, se seguirmos este caminho correctamente, atingire-
mos um estado de esclarecimento e a felicidade infinita chamada nirvana.

Curiosamente, o budismo pode ter surgido como um movimento de protesto contra os ortodoxos hindus, mas os hindus, no seu modo flexível, simplesmente reclamam Buda para si, como uma das encarnações de Vishnu.
Apesar de Asoka, o maior governante indiano nos tempos antigos, se ter tornado budista, a religião nunca conseguiu fixar-se na Índia da mesma forma que
o Hinduísmo e foi noutros países que ganhou seguidores – até aos Dalits no
último meio século. O Budismo atingiu o seu ponto máximo no século V d. C.,
mas desde essa altura tem perdido importância, deixando para trás apenas
uma esplêndida variedade de monumentos a testemunhar o seu antigo estatuto.

4. ÍNDIA E PAQUISTÃO

«Não há outra solução para os problemas a não ser as negociações de paz, incluindo os problemas na nossa religião… Quem quer que esteja no poder no Paquistão, nós estamos interessados na unidade e na paz.»

Manmohan Singh, Junho de 2007

Na sexta-feira, 1 de Junho de 2007, militantes islâmicos correram em direcção a um posto paramilitar indiano na aldeia de Nihama, em Caxemira, e lançaram granadas de mão, matando 3 soldados indianos e ferindo mais 22. No mesmo dia, noutra parte de Caxemira, separatistas caxemirenses abriram fogo sobre um posto da polícia na aldeia de Sheeri, matando um polícia. E, nessa manhã, em Srinagar, a capital de Caxemira, uma bomba rebentou quando passava um veículo militar, ferindo 15 soldados.

Em Caxemira, dias como estes não são raros. Desde 1989 que aqui decorrem conflitos de nível inferior, altura em que começaram as revoltas separatistas caxemirenses. Mais de 68 000 pessoas morreram no conflito, a maior parte civis e a parte indiana de Caxemira é o Estado mais fortemente militarizado do mundo, com mais de 700 000 tropas indianas colocadas aqui quase permanentemente, cuidando da população de cerca de 8 milhões. Há postos de guarda militar espalhados ao longo de toda a estrada principal, com curtos intervalos, e a zona parece-se muito com um país ocupado – mesmo sendo na verdade uma parte da Índia.

Os soldados, desmotivados, muito poucos querem estar ali, têm de lidar com os contínuos ataques de baixa escala de mais de uma dúzia de diferentes grupos rebeldes – alguns grupos separatistas caxemirenses que lutam por uma Caxemira independente, alguns guerrilheiross islâmicos do outro lado da fronteira paquistanesa, lutando para Caxemira passar a pertencer ao Paquistão. Mas não é por isto que estão aqui. Esta presença maciça das tropas deve-se ao facto de este ser o ponto incandescente com o Paquistão – por vezes diz-se que é o ponto de ebulição nuclear mais perigoso do mundo, uma vez que tanto a Índia como o Paquistão estão armados até aos dentes com mísseis nucleares e cada um deles é o principal alvo do outro.

O problema muçulmano

Tudo remonta aos dias de Raj, como tantos outros problemas do subcontinente. Ao longo da primeira metade do século XX, quando o Partido Congressista lutou por um melhor tratamento por parte dos britânicos, estes fizeram de

tudo para separar os muçulmanos sob o princípio de dividir para governar. Mais tarde, os britânicos afirmaram que sempre houve divisões entre muçulmanos e hindus, mas não fizeram nada para curar as feridas. Os britânicos fizeram de tudo para desencorajar os muçulmanos a juntaram-se ao Partido Congressista e encorajá-los a unirem-se à Liga Muçulmana liderada por Mohammad Ali Jinnah. Jinnah nunca teve mais do que o apoio de uma minoria da elite muçulmana, mas os britânicos tratavam-no como se fosse o porta-voz de todos os muçulmanos da Índia. Quando, em 1939, a Grã-Bretanha declarou guerra em nome da Índia – sem lhes dar a hipótese de escolherem por si, como provavelmente teriam feito –, todos os governos estatais congressistas resignaram em protesto. Logo depois, Jinnah, que estava com os britânicos na guerra, proclamou um Paquistão separado em Lahore.

O conflito entre os congressistas e a Liga Muçulmana amenizou-se ao longo da Segunda Guerra Mundial e, enquanto os congressistas lutavam no sentido de os britânicos «deixarem a Índia», Jinnah defendia a sua ideia de «duas nações» – Índia e Paquistão. Aquando da Independência, que chegou depois da guerra, a ideia de Paquistão, um país separado para a minoria muçulmana indiana, foi bem sucedida. As tensões aumentaram e os conflitos entre muçulmanos, sikhs e hindus no norte da Índia tornaram-se violentos. Os britânicos começaram a concordar com Jinnah no sentido de que ter uma Partição deste género era do interesse dos muçulmanos. Enquanto Gandhi argumentava desesperadamente para que a Índia permanecesse unida, Nehru foi persuadido a aceitar que a Partição talvez fosse a única forma de parar com o terrível aumento da violência. Portanto, a Índia seria dividida em hindus, que dominavam a Índia, e em muçulmanos que dominavam o Paquistão.

Fé dispersa

O problema era, obviamente, que menos de metade dos muçulmanos indianos viviam realmente no Paquistão. Foram espalhados por toda a Índia, em maior quantidade nuns lugares e menor noutros. Portanto, que Estado deveria pertencer ao Paquistão e à Índia? Jinnah antecipou um alargamento paquistanês pelo norte da Índia, através de Punjabe, Uttar Pradesh e Bihar em direcção a Bengala. Mas os muçulmanos estavam em minoria, tanto em Uttar Pradesh como em Bihar, e foram muito rapidamente afastados. Mais litigioso foi o processo no Punjabe e Bengala. A metade oriental de Bengala era dominada pelos muçulmanos; no Punjabe, a metade ocidental era predominantemente muçulmana. Bengala foi simplesmente dividida em dois e um êxodo maciço de refugiados começou rapidamente a fluir em ambas as direcções – muçulmanos para Bengala Oriental e os hindus para o Ocidente, que incluía Calcutá. Foi um acontecimento terrível que arruinou imensas vidas, mas ainda mais trágico foi o que se passou no Punjabe, onde o Ocidente era 60 por cento muçulmano e o Oriente tinha mais de 60 por cento de hindus e sikhs. Aqui, os muçulmanos foram expulsos do Oriente, ou simplesmente assassinados para arranjar espaço para os sikhs e hindus que estavam a chegar, e estes foram igualmente expulsos do Ocidente ou assassinados para arranjar espaço para os muçulmanos orientais. Do Oriente para o Ocidente e do Ocidente para o Oriente, cerca de dez milhões de pessoas foram atormentadas, espancadas e mortas, e cerca de meio milhão ou talvez mais morreu, ao mesmo tempo que a alegria da Independência deu rapidamente lugar à dor da Partição.

Mesmo com Punjabe e Bengala divididos, permanecem regiões por atribuir. Lorde Louis Mountbatten, o último vice-rei britânico, convenceu Nehru de que os príncipes – os marajás e os nizams – destas regiões deviam poder decidir por si o caminho a seguir. Na maior parte dos casos, a decisão foi fácil, mas em alguns lugares um príncipe muçulmano governava uma maioria de população hindu e vice-versa. Os príncipes muçulmanos que se encontravam em maioria hindu, Junagadh e Hyderabad, estavam no fio da espada. Os *nizams* de Hyderabad, mesmo no coração do Sul da Índia, hesitaram até as tropas indianas chegarem para os ajudar a decidir. Os marajás de Junagadh foram igualmente persuadidos. O Paquistão não ficou muito contente por perder Junagadh e ainda hoje este permanece um território disputado, embora nenhum dos lados pense que valesse a pena lutar por ele.

A criação do Bangladesh

Quando o Paquistão Oriental foi criado em 1947, a partir de Bengala Oriental, o povo de Bengala acreditava que teria direito a um certo grau de representação, estatuto e investimento no novo Paquistão. Esperavam que pelo menos a sua língua fosse respeitada. Afinal de contas, Bengala Oriental tinha  uma população enorme, comparada com a da maior parte dos Estados paquistaneses, e em Daca tinham uma cidade não comparável a mais nenhuma outra no Ocidente. Mas, quando os administradores hindus de Bengala deixaram Bengala Oriental, os muçulmanos de Punjabe do Paquistão Ocidental simplesmente mudaram-se para ocupar o seu espaço e o Paquistão Oriental começou a ser tratado essencialmente como uma colónia do Paquistão Ocidental, tendo o idioma de Bengala sido omitido de todos os documentos oficiais. Os motins rebentaram com o protesto dos bengalis e, nas eleições de 1954, a Liga Muçulmana, o partido governante do Paquistão Ocidental, foi afastada dando lugar a uma aliança bengali dirigida pela Liga Awami do Xeque Mujibur Rahman.

O governo paquistanês em Islamabad suspendeu de imediato o governo de Bangala e o general Ayub Khan ocupou directamente o lugar de governante no que era efectivamente uma ditadura. No entanto, após as dificuldades da guerra indo-paquistanesa em 1965, Ali Bhutto, no Ocidente, e o Xeque Mujibur, no Oriente, ganharam força suficiente para lançar programas democráticos que iriam realmente separar o Ocidente e o Oriente. Bhutto e o Xeque Mujibur foram de imediato mandados para a cadeia e, quando os protestantes saíram para as ruas, Ayub Khan, sucessor do General Yahya Khan, impôs a lei marcial. Em seguida, os EUA começaram a fazer pressão e Yahya Khan foi obrigado a concordar com o fim do controlo militar, e a devolver o governo aos civis. As eleições trouxeram a Bhutto uma maioria no Ocidente; e a Liga Awami do Xeque Mujibur uma enorme vitória no Oriente. Imediatamente, Mujibur declarou a independência do Bangladesh e Yahya Khan enviou o exército paquistanês para meter aquele povo na ordem através da força. Mas o entusiasmo das tropas paquistanesas era fraco e, com a ajuda de algumas divisões indianas, o povo de Bangladesh levou-os a renderem-se em apenas alguns dias. Em Janeiro de 1972, o Xeque Mujibur tornou-se o primeiro Primeiro-Ministro do Bangladesh.

Caxemira dividida

O ponto fulcral era Caxemira. Em Caxemira havia um marajá hindu e uma maioria muçulmana em grande parte do Estado – no entanto, havia algumas áreas hindus e outras, como Ladakh, que eram essencialmente budistas. Caxemira fica mesmo ao lado do Paquistão, por isso podia ser facilmente anexada. Mas estas torres enormes do Estado pairam com tal domínio sobre o Norte da Índia que esta se sentiria profundamente vulnerável se viesse a fazer parte do Paquistão. Além disso, Nehru tinha uma profunda obrigação pessoal para com Caxemira, uma vez que a sua família viera de lá. E também aqui o marajá pecou por não saber que caminho seguir, até que tanto a Índia como o Paquistão suspeitarem de que aquilo que ele realmente queria era manter Caxemira completamente separada. Então, em Outubro de 1947, quando as guerrilhas paquistanesas islâmicas avançaram sobre a capital de Caxemira, Srinagar, tomou uma decisão e juntou-se à Índia. Imediatamente, Nehru enviou tropas para defender Sinagar. A primeira guerra indo-paquistanesa começou quando milhares de voluntários paquistaneses entraram em Caxemira para combater.

À medida que o conflito aumentava, as Nações Unidas negociaram um cessar-fogo em 1948 e estabeleceram uma linha divisória através de Caxemira, denominada Linha de Controlo LOC, com o Paquistão a controlar um dos lados e a Índia o outro. A LOC está no mesmo local há quase 60 anos, apesar de permanecer apenas uma linha de cessar-fogo. Nenhum dos lados aceita esta linha como fronteira legal – e, por isso, nenhum dos lados tem qualquer escrúpulo em ultrapassá-la de vez em quando. A questão da Índia em possuir por completo Caxemira está no acordo do Marajá e também no aval do Xeque Muhammad Abdullah, o líder de um movimento populista de Caxemira; o Paquistão insiste em que a maioria dos caxemirenses é muçulmana. No acordo das Nações Unidas, de 1948, a Índia acordou em colocar a decisão sobre o futuro de Caxemira num plebiscito do seu povo – mas com a condição de que, primeiro, o Paquistão deveria sair completamente de Caxemira. O Paquistão não quis fazê-lo e a Índia não avança com o plebiscito enquanto eles não o fizerem.

As guerras indo-paquistanesas

Depois da primeira guerra sobre Caxemira, em 1947, que chegou ao fim com a decisão das Nações Unidas, existiram mais duas guerras indo-paquistanesas, uma em 1965 outra em 1971, e uma grande contenda em 1999. Na primeira destas guerras, em 1965, o líder paquistanês general Ayub Khan, encorajado tanto pelo potencial apoio da China de Mao como pela morte de Nehru, enviou apressadamente tanques paquistaneses para percorrerem as planícies de Ran de Kutch para reclamar alguns territórios disputados na fronteira de Sind-Gujarat. Embora se tenha procedido rapidamente a um cessar-fogo, Ayub Khan estava tão satisfeito consigo mesmo que, assim que acabaram as monções desse ano, lançou uma enorme ofensiva sobre a fronteira indiana. As suas unidades fizeram grandes progressos no deserto de Rajastão, mas o principal ataque à estrada que liga Jamu-Srinagar a Caxemira encontrou uma forte oposição por parte dos indianos – tão forte que os tanques indianos os fizeram recuar quase até Lahore. Com ambos os lados a reclamarem vitória, a União Soviética negociou uma espécie de acordo e as tensões acalmaram durante alguns anos, apesar de a situação de Caxemira continuar a arder no imaginário paquistanês.

Em 1971, a terceira guerra indo-paquistanesa começou subitamente por causa do Paquistão Oriental (ver página 90). A quarta contenda deu-se quando uma enorme tropa de «guerrilha» ocupou as montanhas de Kargil do lado indiano da LOC (linha de controlo) em 1999 – e só foi forçada a sair após quatro semanas de batalhas sangrentas, quando a infantaria indiana tomou a montanha de assalto.

O que é que eles querem?

Não restam dúvidas de que a Índia está, em vários aspectos, satisfeita com o *statu quo*. Ficaria bastante feliz em ver a LOC transformada em fronteira permanente. Por outro lado, o mesmo não acontece com o Paquistão, pois na sua

perspectiva isso significaria deixar uma população maioritariamente muçulmana encurralada dentro da Índia – significaria também uma fronteira artificial que, a nível geográfico, cultural ou político não faz qualquer sentido. Quanto aos habitantes de Caxemira, muitos escolheriam indubitavelmente a independência. O lado paquistanês de Caxemira é conhecido por Caxemira Azad (Caxemira Livre), mas isso não significa necessariamente que todos os seus habitantes queiram fundir-se com o Paquistão.

Os caxemirenses do lado indiano têm-se sentido bastante incomodados com a abordagem opressiva da Índia. Por exemplo, na passada década de 80, a administração fraudulenta da Assembleia de Estado de Caxemira por Nova Deli e o longo historial de abusos perpetrados pelas tropas indianas sobre a população local encorajaram vários grupos separatistas a iniciar violentos protestos pela independência. Contudo, passado pouco tempo, muitos desses grupos separatistas tinham agentes islâmicos radicais infiltrados e foram suplantados por esses mesmos radicais que chegavam em grande número vindos do Paquistão, do Afeganistão e até da Chechénia e da Arábia Saudita. Durante a década de 90, os militantes separatistas e os rebeldes islâmicos fizeram várias incursões ao longo da LOC a partir do Paquistão Azad para tentar subjugar as tropas indianas.

OS REBELDES DE CAXEMIRA

Nos locais mais conturbados do mundo talvez existam, no máximo, meia dúzia de grupos militantes. Em Caxemira existem dúzias, e estão constantemente a mudar. No meio desta quantidade desconcertante de rebeldes, é difícil distinguir quem é quem e qual a causa por que lutam em concreto. Em 1987, os grupos mais proeminentes eram apenas os militantes de Caxemira, que protestavam contra o domínio indiano e defendiam a separação de Caxemira do governo da Índia. Alguns utilizavam tácticas terroristas e de guerrilha, enquanto outros eram activistas mais pacíficos. Contudo, a retirada da União Soviética do Afeganistão, em 1989, deixou uma falange de guerreiros *mujahideen* em busca de uma nova causa – e muitos deles foram para Caxemira para lá empreender a *jihad* (guerra santa). Outros grupos islâmi-

cos vieram do Paquistão. Assim, por cima de grupos separatistas como a Frente de Libertação Jammu-Caxemira (JKLF – Jammu--Kashmir Liberation Front) foram colocadas camadas de grupos terroristas islâmicos de linha dura, como o Lashkar-e-Toiba e o Jaish-e-Mohammad. Os indianos culparam o Lashkar-e-Toiba pelo atentado ao edifício parlamentar de Nova Deli em 2001 e acreditava-se que o Jaish-e-Mohammad fosse o responsável pelo ataque à Assembleia de Estado de Caxemira em 2002. Actualmente, pensa-se que o Lashkar se tenha dividido em duas facções, o al-Mansurin e o al-Nasirin.

Muitos dos grupos separatistas juntam-se ocasionalmente sob a Conferência de Hurriyat (APHC – All Parties Hurriyat Conference), mas a APHC cobre um vasto número de opiniões e estratégias diferentes e tem lutas internas consideráveis. Entretanto, os grupos islâmicos também se juntam frequentemente sob a insígnia do Conselho Jihad Unido (UJC – United Jihad Council). Os grupos separatistas tendem a ter objectivos menos radicais do que os grupos islâmicos. Os separatistas querem, essencialmente, um certo nível de governação independente em Caxemira. Por outro lado, o objectivo declarado do Lashkar-e-Toiba era impor o domínio islâmico a toda a Índia. Muitos dos grupos militantes começam agora a distanciar-se dos partidários de linha dura e talvez seja significativo que os caxemirenses chamem os militantes extremistas de «estrangeiros» e «terroristas», atendendo a que, no passado, talvez os tivessem chamado de «combatentes pela liberdade». Os grupos que se opõem por completo ao processo de paz entre a Índia e o Paquistão, como o Jamaat-e-Islami de Syeed Gelani, começam a ser encarados por muitos como não estando a par do sentimento geral – mas isso não os impediu de apoiar os seus ataques.

No limiar

O grau de envolvimento activo do governo paquistanês com qualquer um destes grupos continua por apurar, mas os indianos estão convictos de que era bastante elevado. A 13 de Dezembro de 2001, quatro bombistas suicidas embateram com um carro contra os portões do edifício do Parlamento de Nova Deli. Os seguranças conseguiram parar o carro a poucos metros da

Câmara, onde a Lok Sabha estava em sessão, mas os bombistas fizeram-se explodir, matando 14 pessoas e causando grande destruição. O Primeiro-Ministro Vajpayee estava enfurecido e exigiu a extradição dos suspeitos de terrorismo do Paquistão, um ponto final na travessia de rebeldes na LOC e o encerrar de campos de treino terrorista apoiados por paquistaneses em Caxemira Azad. Em resposta, o líder paquistanês General Musharraf foi igualmente irredutível negando qualquer envolvimento.

Sem hesitação, Vajpayee mobilizou o gigantesco exército indiano de 1.2 milhões de homens e colocou-o quase todo em Caxemira, com um movimento maciço de comboios cheios de soldados por toda a Índia, numa escala quase nunca igualada desde a Primeira Guerra Mundial. À medida que os indianos avançavam, também os paquistaneses se preparavam para a guerra, e os dois oponentes tentaram intimidar-se um ao outro para ficar com a LOC. A tensão subiu quando surgiram rumores de que ambos os lados estavam a armar o equipamento nuclear. Parecia que a qualquer momento podia rebentar um conflito devastador. A pressão diplomática frenética por parte dos EUA finalmente atenuou a crise, os exércitos recuaram e centenas de milhares de soldados indianos tornaram a entrar nos comboios para fazer a longa viagem até casa.

O mapa de estradas de Caxemira

Extraordinariamente, o episódio pareceu ter assustado ambas as partes e fê-las procurar uma espécie de compromisso. As conversações de paz estão a decorrer desde então, embora com algumas interrupções. Em Maio de 2003, Vajpayee libertou centenas de presos paquistaneses e anunciou que os autocarros iriam receber autorização para atravessar a fronteira entre Deli e Lahore, para que as pessoas de ambos os lados pudessem, por fim, visitar os familiares. Por sua vez, o Paquistão concordou em acabar com as incursões ao longo da LOC e restabeleceu as ligações desportivas – e o primeiro jogo de críquete entre os dois países, algo que não acontecia há anos, teve lugar em Carachi, em 2004. Mais cedo nesse ano, Vajpayee e Musharraf organizaram uma cimeira sob o olhar atento do público e apareceram juntos, sorridentes e a cumprimentarem-se com um aperto de mão, nos ecrãs de televisão de todo o mundo. Entretanto, longe de olhares indiscretos, os oficiais do governo indiano começaram a manter conversações com movimentos separatistas caxemirenses.

Contudo, o progresso das conversações é lento e, apesar da mudança de Primeiro-Ministro, de Vajpayee, o partidário hindu de linha dura, para o sikh

mais moderado e menos envolvido, Manmohan Singh, é difícil discernir qualquer avanço. Na verdade, em 2006, as conversações quase descarrilaram com as terríveis explosões de bombas nos comboios de Mumbai, que mataram 259 pessoas. No entanto, curiosamente, Musharraf juntou-se de bom grado à condenação geral do atentado e as conversações de paz foram retomadas em Dezembro do mesmo ano.

Algumas pessoas dizem que as disputas de Caxemira nunca serão resolvidas. O Paquistão, segundo muitos indianos, tem toda a sua credibilidade arriscada em Caxemira. Gasta 54 por cento do produto interno bruto (PIB) na defesa (em comparação com os 15 por cento da Índia), essencialmente para enfrentar a ameaça indiana. Enquanto o Paquistão estiver sob domínio militar, nunca irá concordar em ceder qualquer parte de Caxemira à Índia. Contudo, se um governo democrático tomar posse no Paquistão, ficará de mãos atadas. Se um governo democrático paquistanês negociasse qualquer acordo real com a Índia, seria encarado pelo exército como um sinal de fraqueza e assim despoletaria outro golpe. Foi exactamente isso que aconteceu em 1999, quando Nawaz Sharif, o Primeiro-Ministro democrático do Paquistão, concordou em retirar as tropas paquistanesas que estavam no lado indiano da LOC, nas montanhas de Kargil. Esta concessão foi a mola que fez disparar o golpe do General Musharraf, que tirou Sharif de cena.

O AUTOCARRO DE CAXEMIRA

Uma das situações difíceis resultantes da divisão entre as metades de Caxemira foi o modo como esta cortou laços familiares, isolando parentes próximos em cada um dos lados da LOC, sem possibilidade de se reencontrarem. A atenuação do controlo que se seguiu ao terramoto de 2005 permitiu a muitas pessoas atravessarem a linha para socorrer ou obter ajuda, e houve muitas recepções com lágrimas de alegria. Parecia que uma iniciativa tão bem recebida não poderia ser esquecida após a crise. Em Fevereiro de 2007, para grande contentamento, inaugurou-se um serviço de autocarros para transportar as pessoas para lá da linha de cessar-fogo entre Srinagar, na parte de Caxemira con-

trolada pela Índia, e Muzaffarabad, no lado paquistanês. O auto-carro só circula quinzenalmente e os lugares são limitados, mas é visto como um sinal bastante positivo. Para abrir a histórica estrada de Jhelum que liga Srinagar, na Caxemira controlada pela Índia, e Muzaffarabad, na Caxemira controlada pelo Paquistão, à circulação do autocarro, soldados indianos e paquistaneses trabalharam em conjunto para retirar as minas e reconstruir a ponte danificada sobre Jhelum.

O caminho (é) em frente?

Ainda assim há sinais de movimento. Começa a tornar-se evidente que enquanto a elite de linha dura de ambos os lados da fronteira encara a situação com receio e faz o seu melhor para pintar o outro lado o mais negro possível, o mesmo não acontece no que diz respeito aos indianos e paquistaneses comuns. À medida que as viagens transfronteiriças começam a aumentar, as pessoas começam a fazer amigos e a encontrar familiares nos dois países, com uma cordialidade que por vezes chocaria os seus líderes políticos. Além disso, o progresso económico indiano começa a tornar o país um lugar mais atractivo tanto para caxemirenses como para outros paquistaneses. Este sentimento está sem dúvida a chegar aos ouvidos dos políticos, e parece haver alguma verdade nos rumores de que ambos os países podem estar dispostos a ceder um bocadinho de Caxemira.

Quando Musharraf e Manmohan Singh se encontraram para retomar as conversações de paz, em Janeiro de 2007, Musharraf deu a entender que o Paquistão desistiria de reclamar Caxemira para si se a Índia retirasse de lá as tropas e concedesse a independência ao território. Manmohan Singh respondeu dizendo que as fronteiras não podiam ser alteradas – mas podiam tornar-se irrelevantes. Ainda estamos para descobrir o que isto significa. Manmohan Singh deixou claro que deseja que as barreiras entre os dois países se dissolvam. «Sonho com um dia em que se possa tomar o pequeno-almoço em Amritsar, almoçar em Lahore e jantar em Cabul. Foi assim que os meus antepassados viveram. É assim que quero que os nossos netos vivam.»

5. ÍNDIA E EUA

«As democracias mais poderosas e as mais populosas do mundo deveriam trabalhar em conjunto.»

Porta-voz da Administração dos EUA, em 2006

A visita do Presidente George Bush à Índia, em Março de 2006, representou um ponto de viragem nas relações da Índia com os EUA. Pela primeira vez, parecia que a Índia era bem-vinda, por qualquer que fosse a razão, e a Administração indiana dirigida pelos congressistas parecia ansiosa por estreitar laços com os EUA.

No cerne desta nova ligação surpreendente estava a tecnologia nuclear indiana. A Índia insiste que necessita de poder nuclear porque o rápido crescimento da economia precisa urgentemente de uma fonte de energia, e o país tem muito poucas. O problema é que também tem armas nucleares. Após os testes nucleares de 1998, os EUA criticaram severamente tanto a Índia como o Paquistão e impuseram sanções diplomáticas e tecnológicas a ambos os países. Os ataques de 11 de Setembro, a guerra do Iraque e a necessidade de ajudar na guerra ao terror facilitaram a entrada do Paquistão no grupo. O sucesso económico indiano – e talvez também uma crescente preocupação com a expansão da China – ajudaram a Índia.

Trabalhar em conjunto

A visita de Bush foi apenas o culminar de um processo de aproximação que havia começado com a visita do Primeiro-Ministro indiano Manmohan Singh a Washington. Segundo a administração dos EUA, «as democracias mais poderosas e as mais populosas do mundo deveriam trabalhar em conjunto». Era um resumo claro acerca do impressionante mas sincero objectivo comum, mas nunca se especificou ao certo em que é que deveriam trabalhar juntos. Parecia claro para a maioria que o objectivo era ajudar a estabilizar as relações com o almejado aliado americano, o Paquistão, bem como facultar um contrapeso para o crescente poder da China na Ásia.

Enquanto Bush estava na Índia, ele e Manmohan Singh abriram caminho para um acordo sobre tecnologia nuclear, assinado por ambas as partes em Dezembro de 2006. Foi apenas um primeiro passo e quando muito um primeiro passo matreiro, mas um acordo genuíno. A ideia era que os EUA, que dominam as reservas nucleares mundiais, ajudassem a Índia com o seu programa nuclear. Em troca, a Índia aceitaria inspecções regulares às centrais nucleares.

O facto mais espantoso é que a Índia, nunca tendo feito parte do Tratado de Não Proliferação Nuclear, e tendo até testado tanto bombas como mísseis nucleares, foi aceite na família. Entretanto, o Irão, que assinou o Tratado, é perseguido por, tal como afirma, apenas querer desenvolver poder nuclear. O poder da política baseada em situações e necessidades práticas em vez de ideias e princípios morais (*realpolitik*) é revelado sem qualquer pudor.

Vozes anti-americanas

Há inúmeras pessoas na Índia, tanto de esquerda como de direita, que criticam a posição pró-EUA da administração congressista. De um lado estão os liberais indianos zangados devido a actos dos EUA, como a ocupação do Iraque, as violações dos direitos humanos em Abu Ghraib, no Iraque, e em Guantanamo, Cuba, e com o modo como os EUA parecem mandar e desmandar. Do outro lado está o PBJ, que ataca a ligação com base no nacionalismo hindu, defendendo que a Índia deveria ser mais independente. Os partidários mais intransigentes do governo indiano afirmam que este acordo coloca a política externa da Índia à mercê dos EUA – e que um pouco de pressão de Washington fará com que a Índia trema como varas verdes. Afirmam que isto já aconteceu com a proposta de uma conduta de gás natural entre o Irão e a Índia, via Paquistão, que alguns acreditam ter sido sabotada pelos americanos devido à política para isolar o Irão.

Contudo, se for esse o caso, Manmohan Singh tem sido um pouco mais severo no seu modo de lidar com Washington do que aquilo que seria esperado. Num discurso que fez no Parlamento indiano ao assinar o acordo, Singh disse que a Índia não aceitaria quaisquer «condições exteriores» adicionadas ao acordo pelos EUA. «Será difícil e a Índia não poderá aceitar quaisquer outras condições além daquelas já admitidas nos acordos com os Estados Unidos». Avisou que as negociações seguintes seriam complicadas. O tipo de condições «externas» de que falou eram a exigência por parte da administração americana, de reportar anualmente ao partido congressista as ligações indianas com o programa nuclear do Irão. A administração americana tem tentado minorar estes medos, mas o acordo final ainda está a ser discutido.

Arrufos ou crises?

Entretanto, os EUA e a Índia envolveram-se em confrontos acerca de outros assuntos. Os EUA não apoiaram a tentativa de a Índia se tornar membro per-

manente do Conselho de Segurança, o que finalmente lhe daria o estatuto de potência mundial que o país considera merecer. Também se acredita que os EUA tenham bloqueado a candidatura da Índia ao cargo de Secretário Geral das Nações Unidas. Por outro lado, Hugo Chávez, o Presidente da Venezuela, apoiou a promoção da Índia a membro permanente do Conselho de Segurança, e em troca a Índia apoiou a candidatura da Venezuela a membro não permanente. George Bush ficou tão aborrecido com esta defesa pública do renegado Chávez que, ao que parece, passou dez minutos ao telefone com Manmohan Singh, numa tentativa de o dissuadir. Singh foi irredutível.

Simultaneamente, havia outra fonte de tensão entre os EUA e a Índia. Em 2007, no período que antecedeu a conferência do G8, as principais nações industrializadas, Bush, fortemente criticado por ter não tomado medidas fortes contra o aquecimento global, apelou à China e à Índia para se juntarem a ele num plano a longo prazo para reduzir as emissões de gases com efeito de estufa. O problema era que a Índia teria de as reduzir até ao mesmo valor que os EUA. Apesar de o consumo de energia estar a disparar na Índia, ainda assim contribui com menos de 3 por cento das emissões globais de carbono e, sob o protocolo de Quioto, a Índia, enquanto nação em desenvolvimento, não é obrigada a reduzir as emissões. Apesar de nada dizerem em público, em privado estão furiosos com a proposta de Bush, que os obriga a juntarem-se aos EUA nessa redução. Diz-se que um oficial terá comentado «não somos responsáveis pelo aquecimento global, por isso não nos podem culpar agora. Qual é o nosso valor de emissões de gases de efeito de estufa *per capita*? É insignificante.»

O Secretário do Ambiente indiano, Vishwanath Anand, afirmou que o país já gastava 2.17 por cento do orçamento em assuntos relacionados com as alterações climatéricas e que as políticas de energia existentes iriam reduzir as emissões em 25 por cento até 2025. Anand também fez a observação mordaz de que a Índia estava a tentar encontrar alternativas de energia limpa com um acordo sobre energia nuclear com os EUA, só que o acordo havia sido atrasado por diferenças entre os dois lados. Segundo a agência noticiosa Reuters, um oficial anónimo do Ministério de Negócios Estrangeiros disse: «Eles que nos dêem energia limpa primeiro. Depois já podemos pensar em reduzir as emissões.»

6. ÍNDIA ALDEIA

«As aldeias são o berço da vida [indiana] e se não lhes dermos o que merecem, então estamos a cometer suicídio.»

Rabindranath Tagore, célebre poeta indiano

À medida que os períodos de festivais religiosos chegam ao longo do ano, enchentes de autocarros verde florescente inundam as estradas, saídos de cidades indianas como Mumbai e Surat, para se apressarem pela auto-estrada *Golden Quadrilateral*, que agora forma uma ligação de alta velocidade pelo país. Todos os autocarros estão a abarrotar de trabalhadores citadinos que fazem uma breve pausa no trabalho na cidade para regressar para junto das famílias nas aldeias dispersas por toda a Índia. A *Golden Quadrilateral* foi principalmente pensada para viagens de negócio rápidas entre as quatro grandes cidades indianas – Mumbai, Deli, Calcutá e Chennai. Mas está a começar a dar a conhecer à Índia outros tipos de viajantes – o trabalhador migrante rural e o aldeão que usa os transportes.

Todos os meses, cada vez mais aldeãos indianos estão a entrar no autocarro e a dirigir-se para as cidades em busca de trabalho. Muitas vezes percorrem distâncias enormes. Por exemplo, os agricultores pobres de Orissa podem fazer cerca de 1600 quilómetros até Surat, para obterem um emprego nas indústrias têxteis e de diamantes que por lá florescem. Alguns ficarão pouco tempo. Outros acabam por nunca mais voltar. E as cidades da *Quadrilateral* – cidades como Kampur e Surat, bem como as quatro grandes – estão a sugá-los devido à grande procura de mão-de-obra barata e a curto prazo de que as indústrias precisam.

Acampamentos na metrópole

Por vezes os comentadores têm subestimado o poder de atracção das cidades sobre os pobres da Índia rural. Olham para o andamento da urbanização em países como a China e a Índia e observam que o crescimento urbano indiano tem sido surpreendentemente lento. Nos anos de recenseamento entre 1981 e 2001, a proporção da população indiana que vive nas cidades aumentou de 23,7 para apenas 27,8 por cento. Não é o que se espera realmente de uma economia em rápido crescimento. Mesmo alguns países europeus urbanizam mais rápido. Mas estes números simples disfarçam a real tentação das cidades indianas.

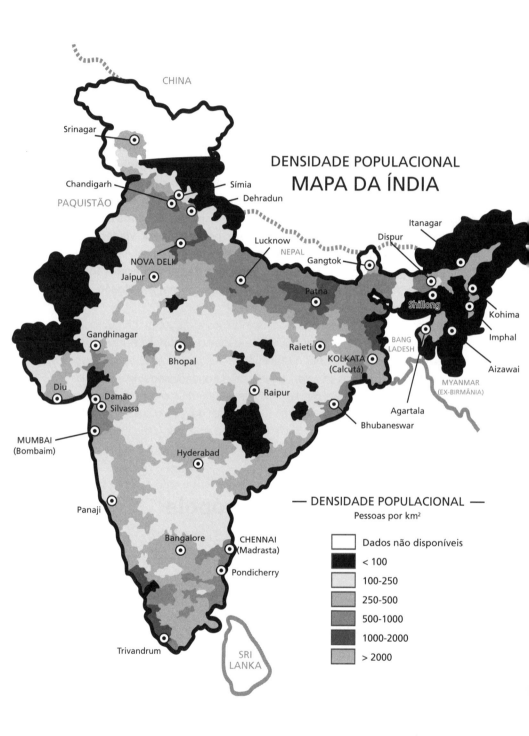

DENSIDADE POPULACIONAL
MAPA DA ÍNDIA

CHINA

Srinagar

Chandigarh — Símia
PAQUISTÃO   — Dehradun

Lucknow   Itanagar
NOVA DELI   NEPAL   Dispur
Jaipur   Gangtok
                 Patna   Shillong
                              Kohima
Gandhinagar   Imphal
              Raieti   BANG
Bhopal   KOLKATA   LADESH   Aizawai
              (Calcutá)
Diu   Raipur   MYANMAR
Damão   (EX-BIRMÂNIA)
Silvassa
                    Agartala
MUMBAI   Bhubaneswar
(Bombaim)
          Hyderabad

Panaji

— DENSIDADE POPULACIONAL —
Pessoas por km²

Bangalore   CHENNAI   ▢ Dados não disponíveis
            (Madrasta)
            Pondicherry ■ < 100

                         ▢ 100-250

                         ▢ 250-500

                         ▢ 500-1000

                         ▢ 1000-2000
Trivandrum   SRI
              LANKA   ▢ > 2000

O principal motivo para este facto talvez sejam o mercado de trabalho e as leis de trabalho indianas, que asseguram haver muito poucos empregos formais mesmo nas cidades. Mas a falta de empregos formais não significa necessariamente que haja poucos empregos. Todavia, significa que muitos trabalhadores do campo raramente trazem as famílias para fazerem a grande viagem devido à falta de segurança no trabalho. Simplesmente acampam nas cidades, com uma série de vastas e extensas acomodações baratas e em bairros de lata, mas regressam para as suas aldeias quando podem – ou quando o trabalho escasseia. É óbvio que estes trabalhadores não aparecem necessariamente nos números da população das cidades – e muito menos as suas famílias que estão em casa. No entanto, significa que as ligações entre a cidade e o campo estão a tornar-se cada vez mais fortes – e o número de indianos empilhados nos autocarros verdes aumenta rapidamente por mês.

Para os ocidentais que visitam as cidades indianas, pode ser difícil imaginar como podem ser apenas uma imagem. Mas por que haverá alguém de querer deixar para trás uma aldeia sossegada no campo, onde o ar é limpo e os únicos sons que se ouvem são muitas vezes o mugir das vacas, em troca dos terríveis bairros de lata, estradas imundas, ar nauseabundo, barulho constante, crime crescente e insegurança no trabalho que caracteriza o pior de Deli e Mumbai? Nem mesmo os indianos mais bem intencionados conseguem realmente compreendê-lo. Ocasionalmente, as autoridades livram-se das lojas de têxteis que exploram os empregados nos bairros de lata da cidade, onde jovens trabalham durante horas em condições deploráveis. Fecham o negócio e cuidadosamente mandam os rapazes de volta para a aldeia natal no campo. Mas em vez de estes rapazes «resgatados» serem bem-vindos em casa, a família chora perante a tragédia de ter sido apanhado – e é provável que não demore muito tempo até que esteja de volta à cidade. Para os jovens a atracção é poderosa.

Índia aldeia

Para Mahatma Gandhi, cerca do meio milhão de aldeias indianas, hoje o lar de mais de cem milhões de pessoas, era o seu sangue vital. Era na aldeia que residia a alma indiana. Aqueles tinham um poder quase espiritual na imaginação da Índia. Para Gandhi, as cidades indianas eram implementações estrangeiras – um cancro introduzido pelos britânicos – e, se a Índia pudesse apenas regenerar as suas aldeias, ficaria curada e encontraria o seu verdadeiro caminho em frente. Quando chegou a Independência, o poeta Rabindranath Tagore proclamou: «Começámos o trabalho de reconstruir as aldeias na Índia. A missão era retardar o processo de suicídio em vão.»

Para muitos jornalistas e intelectuais, a paixão da Índia pelas suas aldeias acabou – ou devia ter acabado. Mas a elite – especialmente nas cidades – mantém acesa a velha chama de um idílio rural com uma tenacidade que ainda se torna mais intensa pela aversão ao vivo consumismo das cidades indianas em crescimento. E a reverência da aldeia está ainda muito mais viva no lado paternal da Índia, na tendência tradicional indiana para o serviço civil – e ainda nas inúmeras organizações de caridade nobremente intencionadas que procuram trazer auxílio aos pobres do campo.

A COMUNIDADE DA ALDEIA

Para o observador descontraído, a aldeia indiana apresenta o mesmo quadro simples de há milhares de anos. Uma mão-cheia de cabanas rebocadas de lama ou aglomerados de casas debaixo da sombra de algumas árvores sujas de lama no meio dos campos verdes ou sujos. Arroz, trigo, lentilhas, vegetais e fruta  **começam a florescer pelo solo castanho-escuro, cuidadosamente alimentado com a irrigação de água. As mulheres nas suas fluidas túnicas cheias de cor movem-se com graciosidade com os potes ou cestos de verga na cabeça e os homens nas suas vestes largas e soltas vagueiam de cá para lá, enquanto o gado muge e os carros de bois rangem. Ocasionalmente, as pessoas reúnem-se à volta do tanque da aldeia (o lago) ou prestam culto no templo, que é frequentemente dedicado a um deus hindu exclusivo daquela aldeia.**

Mas este quadro simples disfarça uma realidade com muito mais camadas e menos idílica. As aldeias indianas são por regra pequenas, quatro em cada cinco são a casa de menos de mil pessoas, mas esse pequeno grupo de pessoas pode ser dividido em quarenta castas diferentes.

O facciosismo e as divisões ditam o padrão de vida. Cada uma destas castas tem o seu próprio lugar e as suas próprias ocupações – carpinteiros, ferreiros, barbeiros, tecelões, oleiros, carregadores de água e por aí fora. No topo estão as castas mais elevadas, que possuem a maior parte da terra – como os Jats no Norte ocidental, os Hindu Thakurs e os muçulmanos Pathans no centro e os Brahmans no Sul. Na base estão os trabalhadores sem terra, as castas mais baixas, e os que são tão desfavorecidos que estão para além do sistema de castas. Os rituais e os privilégios das diferentes facções são ferozmente protegidos e muitos membros das castas inferiores são eles próprios ou as famílias espancados ou mortos por tirarem água do local errado, invadirem propriedade alheia ou até por menos.

Prisão rural

Para os pobres, a aldeia nunca foi qualquer espécie de idílio. Podem ser lugares calmos e tranquilos para as castas mais elevadas, que possuem a maior parte da terra e relaxam nas suas moradias do campo. Mas para muitos outros aldeãos, viver na aldeia é viver à margem. Especialmente para as castas mais baixas, a vida pode ser dura. Normalmente, possuem pouca terra e dependem

Diferenças regionais	Kerala	Bihar
Literacia	90,86%	47,00%
Esperança de vida à nascença	Homens 71.61 anos Mulheres 75 anos	Homens 65.66 anos Mulheres 64.79 anos
Mortalidade infantil	10 por 1000 nascimentos	61 por 1000 nascimentos
Taxa de nascimento	16.9 por 1000	30.9 por 1000
Taxa de mortalidade	6.4 por 1000	7.9 por 1000

Fonte: Censo da Índia, 2001

quase completamente do pagamento fraco e ocasional dos donos das terras. Na verdade, mais de cem milhões dos pobres rurais indianos não possuem sequer um pedaço de terra suficientemente grande para se sentarem quanto mais para plantarem alguns vegetais. Pessoas como estas são fortemente atingidas por secas frequentes e colheitas que não rendem. Ao passo que as castas superiores nas aldeias podem muitas vezes aguentar o pior, os trabalhadores das castas inferiores ficam rapidamente desempregados e sem conseguirem cuidar de si próprios. De qualquer modo, a média do rendimento dos indianos é bastante baixa, 750 dólares por ano, mas, em muitas aldeias, a média cai para os 150 dólares – e algumas pessoas vivem num grau de pobreza e privação que está para além daquilo que África pode infligir.

Bimrao Ambedkar, um político dalit, reconheceu há bastante tempo o quanto as aldeias são armadilhas para as castas mais baixas, aprisionando-os na pobreza e na escravidão. Para ele são «um antro de ignorância, mentes tacanhas e comunalismo». Num artigo do jornal americano *Washington Post*, Amy Waldman descreve como um migrante de aldeia chamado Shankar Lal Rawat ficava feliz por passar as noites a dormir num pedaço de pavimento na cidade de Udaipur, esperando por empreiteiros que o contratassem como carregador ou trabalhador na construção por apenas 2 dólares por dia. Era de um dos grupos «Atrasados», um Adivasis, e na sua aldeia, o sistema de castas assegurou que um senhor de terras de casta elevada, Jaswant Singh, tinha o monopólio completo sobre a maior parte da terra, emprestava dinheiro e ditava o acesso à água. Jaswant Singh pagava ao Sr. Rawat apenas um dólar por dia para trabalhar nos seus campos e ficava com a maior parte deste dinheiro através de encargos exorbitantes pela água e pelos empréstimos que eram forçados a pedir-lhe.

Portanto, não é de estranhar que tantos aldeãos se sintam atraídos pelas cidades, por mais difícil que seja a transição. Nas cidades, um jovem que consiga qualquer trabalho, mesmo que seja árduo, pode de repente dar-se conta de que está a ganhar uma fortuna relativa. Há agora meio milhão de pessoas a trabalhar na indústria dos diamantes em Surat, onde sete em dez diamantes do mundo são agora polidos e ganham em média cerca de 2400 dólares por ano – aproximadamente cinco vezes o salário médio nacional. Um jovem de uma aldeia talvez ganhe quinze a vinte vezes mais do que aquilo que ganharia em casa. Frequentemente, um jovem que tenha um bom emprego na cidade tem capacidade de enviar todos os meses para casa tanto quanto o seu pai ganha num ano inteiro na aldeia. É óbvio que existem imensos trabalhos na cidade que pagam salários absolutamente irrisórios. Mas, para muita gente das aldeias, um trabalho é um trabalho – pelo menos há dinheiro a entrar, apesar de ser pouco. Até os pedintes se saem melhor na cidade.

A aldeia do vale-postal

A Índia está a desenvolver uma economia baseada em vales-postais, onde inúmeros aldeãos são sustentados por pagamentos regulares enviados pelos filhos, pais ou irmãos que trabalham nas cidades. Para muitas famílias das aldeias, estes pagamentos são uma tábua de salvação, protegendo-os um pouco contra o pior que as secas podem trazer. Muitas vezes estes pagamentos podem trazer ainda mais, proporcionando-lhes melhorias nas suas vidas, tais como casas decentes, pequenos luxos como televisões e por aí fora, que de outra forma nem podiam sonhar. Na verdade, parece que são os vales postais enviados pelos trabalhadores das cidades que provavelmente fazem mais para aliviar a pobreza rural do que qualquer outro número de iniciativas governamentais.

Curiosamente, os migrantes da metrópole, quando regressam às aldeias, levam mais do que apenas dinheiro. Estão a levar para casa novas atitudes. Muitos aldeãos afundaram-se num tipo de lassidão ou fatalismo após séculos de sofrimento e discriminação de castas e muitas vezes não conseguem simplesmente encontrar motivação para fazer o mínimo de melhorias nas suas vidas. Os migrantes da metrópole que regressam das cidades com dinheiro nos bolsos e com os frutos de trabalho árduo levam uma nova forma de energia e ímpeto a alguns e um sentimento de alienação a outros.

Os migrantes da metrópole também se modificam noutros aspectos devido à sua experiência. Aprendem muitas vezes a falar outra língua. O hindi, a língua franca das cidades, substitui rapidamente as línguas regionais faladas principalmente nas aldeias. E, normalmente, ganham uma nova atitude na vida. As ligações a castas começam a ter menos importância quando os seus falantes são atirados para a mistura urbana e começam a desenvolver novos costumes.

Pobreza rural

Se existe alguma dúvida em saber qual o motivo que leva muitos aldeãos indianos a enviarem membros da família para trabalhar nas cidades, basta observar os números da pobreza rural na Índia. Em 2001, mais de um quarto da população indiana vivia naquilo que se descreve como «pobreza absoluta». Curiosamente, mais de 40 por cento abaixo dos números de 1991, por isso não há dúvida de que o boom da Índia está a espalhar-se pelo país e os defensores da Índia estão provavelmente certos quando dizem que está a ser feito um progresso real. Nem a prosperidade crescente está confinada às cidades. No campo, os salários também estão a subir – principalmente através da indústria e dos serviços, mais do que da agricultura. Dezenas de milhões de habitantes rurais têm agora acesso a panelas de pressão e televisões, uísque escocês e *scooters*.

No entanto, ainda há muitos, muitos – centenas de milhões –, na Índia rural, para quem a vida é desesperante. Mais de trezentos milhões de pessoas vivem com menos de um dólar por dia. Perto de metade de todas as crianças indianas são subnutridas. Metade de todas as mulheres adultas sofre de anemia. Uns espantosos 40 por cento das pessoas mais pobres do mundo vivem no campo, na Índia. Ao longo da última década, a mortalidade infantil progrediu menos do que no Bangladesh. A taxa de literacia nos adultos em alguns Estados rurais está entre as mais baixas do mundo. O relatório de Desenvolvimento Humano das Nações Unidas, de 2006, que classifica os países de acordo com vários índices de saúde e bem-estar, colocou a Índia crescente no 126.º lugar dos 177 países – depois da Guiné Equatorial e do Tajiquistão e quase à frente do Camboja – porque, apesar da riqueza e do pro-

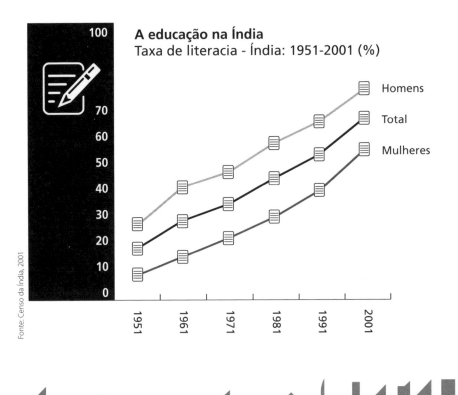

A educação na Índia
Taxa de literacia - Índia: 1951-2001 (%)

Homens

Total

Mulheres

Fonte: Censo da Índia, 2001

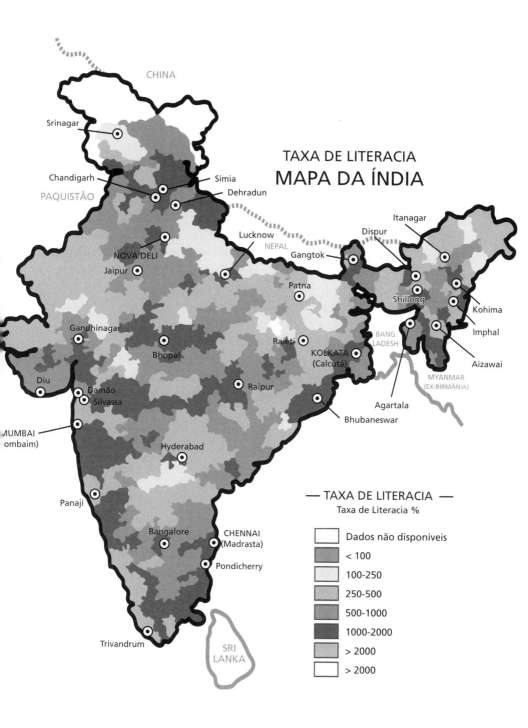

TAXA DE LITERACIA
MAPA DA ÍNDIA

CHINA

Srinagar

Chandigarh
Símia
PAQUISTÃO
Dehradun

Itanagar

Dispur

Lucknow
NEPAL

NOVA DELI
Gangtok
Shillong

Jaipur
Patna
Kohima

Imphal

Gandhinagar
Raieti
BANG
LADESH
Aizawai

Bhopal
KOLKATA
(Calcutá)

MYANMAR
(EX-BIRMÂNIA)

Diu
Raipur

Damão
Silvassa
Agartala

Bhubaneswar

MUMBAI
(ombaim)

Hyderabad

Panaji

— TAXA DE LITERACIA —
Taxa de Literacia %

Bangalore
CHENNAI
(Madrasta)

Pondicherry

	Dados não disponíveis
	< 100
	100-250
	250-500
	500-1000
	1000-2000
	> 2000
	> 2000

Trivandrum

SRI
LANKA

gresso nas cidades, o país é arrastado para o fundo devido à privação rural. O mais chocante de tudo é que, apenas a poucas dúzias de quilómetros de Mumbai, onde algumas pessoas vivem na alta sociedade, que rivaliza com qualquer uma no mundo, há pelo menos algumas crianças a morrer à fome em quase todas as aldeias. Tamanhas lacunas de riqueza existem por todo o lado, desde Londres a Sydney, mas na Índia são na verdade extremas. As castas superiores e médias talvez comecem a melhorar, a pouco e pouco, mas também muitos ficam para trás sem nada.

A iniciativa de Singh

Para muitas pessoas o boom económico da Índia parece apenas uma questão de exclusividade – deixando de fora a maior parte dos aldeãos indianos – e a derrota da coligação liderada pelo PBJ nas eleições de 2004 foi vista por muitos como uma repercussão contra a exclusividade da nova riqueza. Manmohan Singh subiu ao poder prometendo que iria dar prioridade à resolução do problema da pobreza rural e as medidas que introduziu nos últimos anos sugerem que estava a falar a sério.

O plano principal de Singh é o Plano Nacional de Garantia de Emprego Rural, que é provavelmente o projecto mais caro de apoio rural alguma vez lançado na Índia. Um dos problemas para os pobres sem terra é que, nos anos maus, não são contratados pelos donos das terras para trabalharem nos campos e são deixados sem salário por mais de um ano. O objectivo do Plano Nacional de Garantia de Emprego Rural é dar a um membro de cada família rural dos sessenta milhões existentes na Índia a garantia de trabalharem cem dias por ano e de receberem 60 rupias (cerca de 1,50 euro) por cada dia de trabalho. O salário é estabelecido por baixo para assegurar que só mesmo os genuinamente desesperados se inscrevem. As pessoas empregadas serão mandadas trabalhar em projectos como construir estradas, tapar buracos, abrir canais de irrigação e trabalhar em planos de conservação de água.

Planos semelhantes já tinham sido tentados anteriormente, mas este é numa escala sem precedentes. Começou em 2006, nos duzentos distritos mais pobres e menos desenvolvidos da Índia, mas em 2009 deve estender-se ao longo de todo o país. Nessa altura vai custar milhares de milhões de euros – talvez cerca de 2 por cento do PIB indiano. Os críticos dizem que o governo não tem fundos para um plano desta envergadura e fará na verdade muito pouca diferença – argumentando que estes projectos remendados não são um substituto verdadeiro para um investimento real nas infra-estruturas rurais. No entanto, Manmohan Singh acredita que é essencial aliviar o sofrimento dos mais pobres da Índia e colocar apenas um pouco de dinheiro – e um pouco de orgulho – nas mãos destas pessoas pode estimular a economia mais do que grandes planos.

Agricultura em crise

O que é curioso é que nenhum dos empregos no plano de Singh é agrícola. O problema é que a agricultura já não oferece um salário real para muitas pessoas do campo na Índia. Mais de um terço das famílias rurais indianas depende agora de salários não oriundos da agricultura e a proporção está a aumentar.

Até aos anos 60, a Índia era conhecida pela sua terrível escassez alimentar, que arruinava o país de tempos a tempos. Como Amartya Sen (ver pág. 118) demonstrou, as causas desta escassez eram tanto políticas como naturais, mas quaisquer que sejam as razões, são uma das grandes tragédias do país, e lidar com elas é uma das principais prioridades do governo. A descoberta chegou em 1968, graças a Norman Borlaug, o agrónomo americano-norueguês que introduziu a ideia de cereais híbridos. Os cereais híbridos foram criados adicionando deliberadamente pólen de um cereal às sementes de outro para combinar as qualidades de ambos. Desta forma, foram criadas variedades híbridas de trigo, arroz e milho com caules mais curtos, que crescem rapidamente e dão origem a grandes produções de cereais, uma vez que menos energia da planta vai para o caule.

Quando os cereais híbridos foram introduzidos na Índia, em 1968, os efeitos foram imediatos e dramáticos, criando aquilo que se denominou por Revolução Verde. A produção anual de trigo aumentou quase de um dia para o outro de 10 para 17 milhões de toneladas – e continua em crescimento. A produção anual de trigo em 2006 era de 73 milhões de toneladas. Surpreendentemente, a produção de cereais continua em linha de crescimento lado a lado com o crescimento da população indiana e começa a parecer que o espírito dos famintos nunca mais perseguirá a Índia, porque o país se tornou completamente auto-suficiente na sua alimentação básica. Mas, em Abril de 2006, um barco australiano, o *Furnace Australia*, atracou em Chennai.

PERFIL: AMARTYA SEN

«Pensava que não reconhecer que a implementação da democracia na Índia fora um enorme passo em frente era um grande defeito da esquerda estalinista. Houve a tentação de chamar a isto falsa democracia ou democracia burguesa. A esquerda não levou suficientemente a sério a falta de democracia nos países comunistas.»

Em Inglaterra, onde vive, poucas pessoas fora dos círculos académicos ouviram falar do economista de Cambridge Amartya Sen. Mas, na Índia, onde ele nasceu, em Bengala Ocidental, em 1933, é como se fosse uma estrela. Quando ganhou o Prémio Nobel em 1998 foi apelidado Madre Teresa da economia e na Índia foi rodeado de multidões «que esperavam», como disse o historiador Eric Hobsbawm, «tocar na sua caneta de tinta permanente».

Amartya Sen tem feito contribuições importantes ao longo de uma série de estudos sociais, económicos e políticos e tem provavelmente mais diplomas *honoris causa* (acima de cinquenta) do que qualquer outro académico no mundo. Mas tem sido o seu trabalho na economia da pobreza que fez dele uma figura tão importante.

O argumento de Sen é que a questão da pobreza é política. Acredita que os carenciados simplesmente não surgem nas democracias, porque alguém irá fazer soar o alarme antes de as coisas atingirem o ponto crítico. Sen faz uma comparação entre a China e a Índia. A China está em muitos aspectos mais bem equipada do que a Índia para manter o seu povo alimentado e, no entanto, a China sofreu uma terrível privação de comida no princípio dos anos 60, que matou perto de quarenta milhões de pessoas. A Índia, que na época de Raj esteve sujeita a tantas crises de fome, não teve nenhuma desde que se tornou uma democracia em 1947. Sen acredita que não é por acaso. Também é muito respeitado pelo seu trabalho em criar o Índice do Desenvolvimento Humano das Nações Unidas (IDH), um sistema poderoso para comparar o bem-estar social e as condições humanas entre os países que são agora bem aceites. Antes do trabalho de Sen, as comparações feitas, tais como as taxas de literacia, pareciam confusas e sem significado. Sen criou um enquadramento rigoroso que transformou o IDH numa ferramenta crucial, não só para comparar o estado do desenvolvimento de diferentes países, mas também como guia essencial para melhorar a vida de milhares de milhões de pessoas por todo o mundo.

Sen afirma que a pobreza aprisiona as pessoas como qualquer outra tirania política, faz com que as pessoas não tenham nenhum tipo de liberdade de escolha nas suas vidas. Testemunhar os ataques hindus aos muçulmanos quando era jovem também o levou a não defender valores comunitários – e é por isso que acredita que não devemos encorajar o pluralismo na Grã-Bretanha multicultural.

Sen é Professor no Trinity College, em Cambridge, desde 1998 – foi o primeiro asiático a dirigir uma universidade Oxbridge – e esta talvez seja uma das razões que o levam a ser tão venerado na Índia. Pelo menos para as castas elevadas, ele é alguém que teve sucesso na Grã-Bretanha.

O abrandamento verde

O *Furnace Australia* não parece ser diferente das centenas de outros barcos que atracam todas as semanas em Chennai. Aquilo que distingue este barco é o facto de transportar 0,5 milhões de toneladas de trigo. Foi a primeira vez em décadas que a Índia teve necessidade de importar trigo e perto de 3,5 milhões de toneladas foram importadas mais tarde nesse mesmo ano. O porta-voz do governo simplesmente atribui o problema às secas e às cheias, que reduziram as colheitas abundantes, normais na Índia. Mas outras pessoas começaram a fazer perguntas.

Em primeiro lugar, as pessoas começaram a perguntar se a Revolução Verde tinha finalmente perdido a força. Os agricultores indianos fizeram milagres aumentando as colheitas ano após ano à medida que a população indiana crescia. Mas será que as suas colheitas atingiram os limites? Muitos agrónomos duvidam de que qualquer produção elevada possa ser espremida de antigos grãos de difícil cultivo.

Em segundo lugar, os agricultores acham que é cada vez mais difícil obter rendimentos decentes de colheitas de fibras em crescimento. Na agricultura, o

verdadeiro dinheiro vem do cultivo de «colheitas de dinheiro» para exportação, como o café e o algodão, cogumelos e milho doce. Por exemplo, quatro mil metros quadrados de cogumelos podem produzir 40 000 metros quadrados de trigo. Além disso, num ano podem produzir-se várias colheitas de cogumelos e de milho, comparadas com uma única colheita para o trigo e arroz.

Em terceiro lugar, a Revolução Verde provocou um stresse enorme nos recursos da terra, que está a começar a afectar as produções. Para manter este aumento de colheitas, os agricultores começaram a poupar cada vez mais os recursos de água – e a água do subsolo está agora a desaparecer em muitos locais. Para tornar as coisas ainda piores, a qualidade da água deteriorou-se devido às aplicações intensivas de pesticidas e fertilizantes, que são necessárias para manter os níveis elevados de produção. Por exemplo, os híbridos, com os seus caules pequenos, são de longe mais vulneráveis a infestações do que as colheitas tradicionais e, por isso, precisam de tratamento pesticida maior. Isto também tem um custo humano. Segundo Amrita Chaudhry, correspondente agrícola do *Indian Express*, há aldeias inteiras na parte sudoeste do país onde todas as famílias têm pelo menos um ou dois casos de cancro, um possível efeito da exposição excessiva aos pesticidas.

O suicídio dos agricultores

Contudo, para alguns comentadores, o aspecto mais perturbador das consequências da Revolução Verde foi o modo como esta enfraqueceu a auto-suficiência do agricultor indiano. Antes da Revolução Verde, todos os agricultores guardavam algumas sementes de cada colheita, para plantar no ano seguinte. As sementes híbridas não são férteis, portanto, todos os anos, o agricultor tem de comprar sementes novas. E tem de comprar não só sementes, mas também fertilizantes e pesticidas para ter a certeza de que vai ter a produção adequada. O problema é que os fundos de maneio são poucos e para comprar as sementes e os químicos, os agricultores têm de pedir dinheiro emprestado – normalmente segundo as taxas exorbitantes das pessoas que emprestam dinheiro nas aldeias. Se, por qualquer razão, a colheita não rende, o que acontece muitas vezes na Índia, com as secas e as enchentes imprevisíveis, o agricultor enfrenta, não só a crise da alimentação, mas também a crise de dinheiro, porque fica sem rendimentos para pagar o empréstimo e sem rendimentos para comprar as sementes para o ano seguinte.

Como consequência, inúmeros agricultores indianos têm sido arrastados para uma teia de dívidas em espiral, de onde não conseguem sair. Sem forma

de escapar, muitos estão a ceifar as próprias vidas e a Índia sofre actualmente de uma onda de suicídios de agricultores. Em 2003, o último ano com dados disponíveis, 17 107 agricultores cometeram suicídio e as estatísticas básicas provavelmente mal tocam a superfície daqueles que morreram de fome, doença e privação – ou cujas vidas foram simplesmente destruídas. A elevada taxa de suicídio de agricultores é uma batata quente política, e a pressão para que o governo faça alguma coisa tem sido crescente.

AS GUERRAS DE KARGIL

A multinacional americana Cargill é a maior comerciante de sementes do mundo, lidando com uma espantosa proporção do comércio mundial de sementes – e em 1999 decidiu avançar para a Índia. Por uma estranha coincidência, o nome da empresa soletra-se da mesma maneira em hindi como Kargil em Caxemira, onde o exército indiano estava, nesse mesmo ano, a combater uma batalha sangrenta contra as forças paquistanesas que haviam atravessado a LOC. A Cargill lançou a farinha «Nature Fresh» na Índia exactamente na mesma semana em que as tropas indianas tomaram de assalto as montanhas de Kargil e venceram. Tanto os agricultores como os oficiais do governo estavam convencidos de que aquela era uma nova marca patriótica. E para não perder uma grande oportunidade de marketing, Monsanto (ver página 122) deu o nome de «Kargil» às suas sementes de milho híbridas.

A oposição ao impacto das multinacionais americanas tem crescido com segurança na Índia, porque trazem novas oportunidades para os agricultores indianos, mas também os enterram em dívidas. A seguir as pegadas dos comerciantes de grão como a Cargill, estão empresas de biotécnica como a Monsanto, que vende sementes resistentes a pesticidas, geneticamente modificadas (GM), e também os pesticidas especiais necessários para que cresçam

convenientemente, atraindo assim os agricultores para dívidas ainda mais profundas. Em 2005, as vendas de algodão Bt da Monsanto, (um tipo de algodão geneticamente modificado para que possa produzir o seu próprio pesticida), duplicaram na Índia, mas, em 2006, uma acção histórica do governo de Andhra Pradesh forçou a Monsanto a reduzir o custo das sementes. Na altura em que escrevo, a Monsanto está a contestar a decisão nos supremos tribunais indianos.

Prosperidade e pobreza, satisfação e descontentamento, tudo isto está a aumentar na Índia rural – umas pessoas vêem um futuro brilhante, outras vêem-no muito negro. Ninguém está tão descontente como os Naxalitas (um grupo comunista revolucionário radical e por vezes violento), mas, seja qual for o futuro, são raros os que duvidam de que o antigo modo de vida rural indiano, que resistiu desde os dias dos harappan, esteja a mudar, e drasticamente.

7. ÍNDIA METRÓPOLE

Está tudo mudado. De repente, a Índia é uma loja de doces. Trata-se de querer ter, possuir, aparecer nos jornais, vangloriar-se e ser-se reconhecido.»

Simi Garewal, *Rendezvous,* programa genérico indiano

Em Maio de 2007, todos os jornais indianos anunciavam que um dos edifícios mais altos do mundo iria ser construído em Mumbai. Será a sede de uma das instituições financeiras que agora se alojam na cidade? Será um centro para realçar o sucesso do boom das indústrias de TI de Mumbai? Ou será simplesmente uma torre de comunicações? Não, na verdade é uma casa particular – um luxuoso palácio privado de 60 andares construído para o multimilionário da Reliance, Mukesh Ambani, para a esposa e os três filhos. O edifício cintilante de Ambani vai ser enfeitado com jardins suspensos e vai ter o seu próprio teatro, ginásio e heliporto, para não falar de todo e qualquer tipo de luxo que o dinheiro pode comprar. Como o preço das propriedades em Mumbai sobem drasticamente, o apartamento de Ambani foi avaliado em mil milhões de dólares antes mesmo de um pilar ter sido erguido.

Há quem diga que as cidades indianas estão finalmente a aprender a exibir a sua riqueza recém-adquirida, depois de a terem escondido de todos durante muito tempo – e a torre de Ambani é uma demonstração clara do sucesso dos habitantes de Mumbai. Outros descrevem-na como um sintoma da «nova vulgaridade» que varre a Índia, à medida que a nova riqueza traz um enorme poder de compra aos poucos felizardos. «Não vai ser bem-visto perante o público», disse o colunista do jornal de Mumbai, Praful Bidwai, «e existe uma crescente maré de raiva por causa destes gastos absurdos».

A Índia enriquece

A verdade é que o boom da Índia está a criar milionários (em dólares) a um ritmo impressionante. Mais de dez mil indianos estão a entrar no mundo mágico da riqueza todos os anos. E os super-ricos são agora mega-ricos, com cinco indianos que, juntos, valiam cerca de vinte e cinco mil milhões de dólares em 2003 – mais ricos do que os cinco mais ricos da Grã-Bretanha, o que inclui pessoas como Roman Abramovich. E, para além dos megamilionários, há milhões de outros indianos comuns a tirar bom proveito da economia indiana em franca expansão.

O resultado é que quem chega às grandes cidades da Índia não pode deixar de reparar nos sinais exteriores do boom consumista e na sede de consu-

mo conspícuo que pode espantar até os ocidentais. Os centros comerciais crescem rapidamente em cidade após cidade. As lojas brilhantes exibem os seus produtos ocidentais de topo de gama. Os cartazes promovem as alegrias das marcas de luxo como a BMW, a Armani e a Gucci. Os programas de televisão são interrompidos por anúncios dos últimos produtos. Vendem-se grandes carros e aparelhos electrónicos em quantidades enormes, atraindo todas as grandes marcas ocidentais para a Índia. Parece que por todo o lado gastar é a palavra de ordem. E, tal como todas as sociedades consumistas em expansão, os preços dos imóveis na Índia estão a aumentar à medida que as pessoas competem por apartamentos pretensiosos na cidade e grandes moradias nas colinas.

O que é surpreendente para aqueles que vêem a Índia como um país espiritual e antimaterialista – os herdeiros naturais do frugal Mahatma Gandhi – é que os indianos estão a perseguir a riqueza e os bens de consumo com uma avidez fervorosa. Como diz Gurcharan Das, autor de *India Unbound*, «O dinheiro, tal como o sexo, saiu à rua. Todos querem ser ricos e viver como os ricos.»

Mumbai mania

Embora alguma da riqueza se tenha espalhado, são as grandes cidades que constituem o foco desta nova sociedade endinheirada – e em nenhum outro sítio tanto quanto em Mumbai. Mumbai foi sempre o coração do dinamismo e desenvolvimento indianos, e a chegada de Bollywood transformou-a também no foco da imaginação indiana. Mas mais ou menos na última década, tornou-se o epítome do boom indiano. A cidade está num frenesim. É o centro de concentração de pessoas vindas, não só de toda a Índia, mas de todo o mundo. A população cresceu rapidamente de menos de 6 milhões na década de 70 para uns assombrosos 21 milhões hoje em dia, fazendo de Mumbai a quinta maior cidade do mundo, se incluirmos toda a aglomeração de distritos urbanos. Quando lerem estas palavras, talvez apenas Tóquio seja maior. Em 2010, Mumbai irá provavelmente acolher muito mais de 27 milhões de pessoas.

As principais empresas industriais da Índia, como a Tata, a Reliance e a Birla, estão todas sediadas aqui. O mesmo se passa com as principais empresas e instituições financeiras. As grandes indústrias têxteis, as primeiras a dar riqueza e poder a Mumbai, há muito que estão em declínio. Em vez delas, a cidade vai agora buscar a energia e a movimentação a *outsourcings* e a *call centres*, às TI, ao entretenimento e aos *media* – por outras palavras, às actividades que impulsionaram a Índia a deixar de ser uma economia atrasada e a tornar-se uma eco-

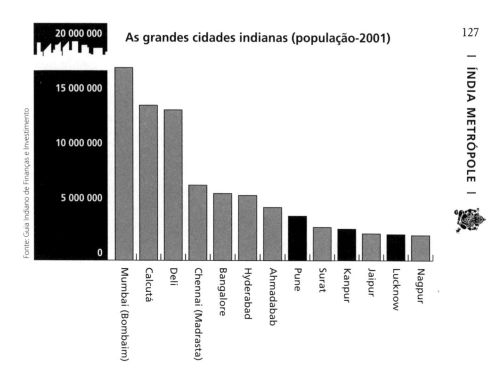

As grandes cidades indianas (população-2001)

Fonte: Guia Indiano de Finanças e Investimento

20 000 000 · 15 000 000 · 10 000 000 · 5 000 000 · 0

Mumbai (Bombaim) · Calcutá · Deli · Chennai (Madrasta) · Bangalore · Hyderabad · Ahmadabab · Pune · Surat · Kanpur · Jaipur · Lucknow · Nagpur

nomia em franca expansão, baseada no sector de serviços, sem etapas intermédias.

Murmúrios de Mumbai

De maneira sub-reptícia, Mumbai está em contacto com o mundo inteiro de um modo partilhado por muito poucas cidades. A todos os minutos do dia, os *call centres* de Mumbai atendem milhares de chamadas que chegam de lares normais por toda a América e Europa, a fazer perguntas sobre tudo, desde despesas da casa até pedir um livro de cheques. A cada minuto do dia, um número crescente de tarefas rotineiras para o resto do mundo, está a ser efectuado pelos negócios de *outsourcing* de Mumbai. Os habitantes de uma cidade da Califórnia sabem o que se passa na reunião da assembleia municipal, por exemplo, através de um sítio de Internet dirigido a partir de Mumbai, onde jornalistas fazem a acta da reunião com câmaras. A todos os minutos do dia, mais uma companhia ocidental recorre aos trabalhadores das TI de Mumbai para a ajudar a tirar o melhor partido do seu software.

Não há dúvida de que Mumbai é uma cidade em movimento. Nos anos 60, o porto e as indústrias têxteis mantiveram-na financeiramente, enquanto os gângsteres e Bollywood lhe forneceram a imagem. Nesses dias complicados, os chefes da máfia da cidade dominavam, faziam dinheiro com o contrabando de ouro e aparelhos eléctricos, bem como com o mais óbvio: narcóticos e armas. E os directores de filmes e actores de Bollywood amigavam-se com os chefes da máfia para receberem fundos desde que a lei restringiu o patrocínio de fontes mais legítimas. Mas tudo isso começou a mudar nos anos 90, porque o abrandar das restrições comerciais retirou o monopólio da electrónica à máfia. Porquê agir à margem da lei, quando se pode ter ainda mais sucesso ao ingressar no negócio das TI?

A nova Mumbai

É claro que a máfia de Mumbai ainda existe, apesar de menos influente, mas por estes dias é mais provável que esteja envolvida em esquemas imobiliários do que em contrabando, pois em Mumbai os preços cada vez mais altos de imóveis competem com o apertado controlo do mercado. A cidade está no meio de um boom de construção e a linha do horizonte mudou radicalmente à medida que centros comerciais, hotéis e complexos de escritórios se erguem pelas ruas. Até aqui, o arranha-céus tem tido pouco protagonismo, mas a maioria das pessoas acredita que a torre de Mukesh Ambani será o primeiro de muitos. Mumbai é uma ilha muito pequena e sobrepovoada e os terrenos para construção atingem um valor elevadíssimo, portanto, faz sentido construir em altura. Entretanto, porém, o preço dos terrenos e das propriedades está a disparar, pois toda a gente quer entrar na corrida.

Bollywood também continua presente, maior do que nunca, com audiências gigantes por todo o mundo e com estrelas a receber salários que cortariam o fôlego a algumas vedetas de Hollywood. Todavia, o levantar de restrições significa que agora os fundos provêm em grande parte de fontes convencionais. Curiosamente, o boom do *outsourcing* e das TI, que sustentou o recente crescimento de Mumbai, pode não ser o motor para o futuro. Em Mumbai, muitos vêem o futuro da cidade em Londres – isto é, vêem Mumbai como um centro poderoso para as finanças globais e para o «processamento de conhecimento».

BOLLYWOOD

Poucas coisas trouxeram a Índia moderna para o horizonte ocidental tão vibrantemente como os filmes de Bollywood. O nome foi inventado como uma piada – uma junção de Bombaim, onde se gravam os filmes, e Hollywood, e a piada pegou –, mesmo na Índia, onde Bombaim agora se chama **Mumbai. O cinema é muito, muito mais importante na Índia do que em qualquer outro lugar do mundo. Um grande número de indianos não tem televisão, mas muitos estão a poucos passos de um cinema e os preços são comparativamente baratos. Isso perfaz uma audiência de mais de mil milhões – números com que Hollywood nem sonha.**

Para entreter esta vasta audiência, Bollywood desenvolveu uma linha de produção notável, para fazer filme após filme – perto de mil por ano, o que faz com que Hollywood pareça sedentária. Ao visitar um cenário de Bollywood, podemos pensar que tudo está um caos, as pessoas correm de trás para a frente a discutir e a gritar, e nada parece estar pronto. Na verdade, este caos é o disfarce de um negócio espantosamente eficaz que produz filmes dentro de prazos e orçamentos que deixariam qualquer director de Hollywood boquiaberto.

Uma das razões pelas quais Bollywood consegue fazer isto é porque os filmes adoptaram uma fórmula. Os realizadores sabem o que as audiências querem e dão-lho. É claro que na Índia se fazem filmes de todos os tipos por todos os tipos de directores, tal como acontece no resto do mundo, mas o clássico filme de Bollywood é pensado para agradar a audiências por toda a Índia. São falados em hindi, portanto não há barreiras linguísticas, e estabelecem um enredo cuidadoso de modo a apelar a ideais religiosos e a não ofender ninguém.

O filme clássico de Bollywood prospera devido àquilo a que por vezes se chama de formato *masala* – que significa, basicamente, ter um pouco de tudo para toda a gente – romance, comédia, violência, drama, música e dança. Quase todos os filmes têm sequências de música e dança, e estas tornaram-se as características mais distintivas de Bollywood.

As cenas de dança, normalmente, não têm nada que ver com a trama e as razões para se entrar nelas são muitas vezes demasiado ténues. Mas são quase invariavelmente dinâmicas e sensuais e gravadas em locais exóticos. Nos filmes antigos, eram gravadas em florestas exuberantes e à beira de quedas de água e os passos de dança eram fortemente tradicionais. Os cenários agora tendem a ser muito mais urbanos. É frequente uma rua de Mumbai ser fechada para se gravar uma sequência de dança para Bollywood. Recentemente, essas sequências têm sido gravadas em locais estrangeiros glamorosos, onde os indianos mais ricos podem ir, como Manhattan ou até as Docklands de Londres. As danças e músicas têm-se tornado muito mais modernas e ousadas, com Hip Hop, R'n'B e outros estilos musicais do Ocidente, misturados com os estilos indianos mais familiares. A maioria dos actores de Bollywood são bailarinos, pois têm de o ser para lidar com estas cenas. Até Amitabh Bachchan, a estrela mais famosa de Bollywood, tem de realizar as suas cenas de dança, embora já tenha 60 anos. Contudo, muito poucos são cantores, e as canções são invariavelmente interpretadas por um cantor profissional «filmi», que canta em sincronia com o movimento dos lábios do actor, o que pode parecer estranho aos olhos dos ocidentais, que não estão habituados.

A fórmula não se resume à inclusão de cenas de dança. Muitas vezes também se estende ao enredo. Não há muitos filmes de Bollywood que não tenham um homem jovem, pobre, que luta contra todas as hipóteses e ainda assim ganha, que enfrenta muitos obstáculos no que toca ao amor – mas acaba por ficar com a rapariga e com a aprovação de ambas as famílias. Os laços e as traições familiares são temas comuns e quase todos os filmes têm uma sequência de sonhos e de festivais loucos, completados com personagens cómicas.

As cenas de sexo, como é óbvio, simplesmente não existem. Até o beijo é altamente tabu. Isso não significa que os filmes não sejam eróticos. A dado momento do filme, a heroína dança invariavelmente de modo muito sugestivo e é frequente existir uma cena com um sari molhado. Contudo, o contacto físico entre amantes é estritamente proibido.

Ainda assim, à medida que o mundo lá fora ganha cada vez mais consciência de Bollywood e as audiências com gostos mais «sofisticados» crescem, tanto no Reino Unido como nos EUA, os filmes de

Bollywood estão a tentar satisfazer um mercado mais «alargado». Os filmes estão a tornar-se mais competitivos e modernos. Os cenários estão a ficar mais cosmopolitas. E os enredos apresentam frequentemente um emigrante que regressa ou um INR (Indiano Não Residente), o que está claramente ligado ao mundo contemporâneo. Os orçamentos também estão a ficar maiores e os valores de produção têm subido de modo a satisfazer as exigências da nova audiência. No entanto, existem aqueles que dizem que à medida que Bollywood ganha novas audiências no estrangeiro, em casa está a perder parte da base de fãs menos sofisticados.

É difícil avaliar a importância do papel que Bollywood desempenha na vida das pessoas indianas. Estrelas de Bollywood como Aamir Khan e Preity Zinta têm um destaque muito superior àquele que algumas das maiores estrelas de Hollywood recebem. Os indianos estão fascinados pelas vidas dos actores e fazem mexericos. Recentemente, o livro mais vendido na Índia é o *Bollywood Nights*, de Shobhaa De. Referem-se frequentemente a De como a Jackie Collins de Bollywood, e o seu livro trata da libidinosa actriz Aasha Rani e da sua exploração pela indústria cinematográfica. Descreve uma imagem de Bollywood muito mais picante do que aquela que se podia esperar dos filmes adoçados, com os seus temas de poder, ganância e luxúria. Mas De insiste que Bollywood é assim. «São as vergonhas que definem o que Bollywood é de verdade, mas que raramente quer reconhecer.» Faz sentido, porque desde o início dos tempos que os realizadores tiveram de obter fundos junto da máfia de Mumbai, porque as fontes mais convencionais de financiamento viravam-lhes as costas. Apesar de actualmente a maioria dos filmes ser financiada por fontes legítimas, Bollywood está provavelmente muito longe de ser pura. De qualquer forma, os leitores de De parecem estar a adorar.

Neste momento, Mumbai está muito abaixo na lista financeira do mundo, mas um relatório do governo indiano publicado em Junho de 2007 sublinhou quanto as empresas indianas como a Tata pagam pelos serviços financeiros internacionais. Hoje são 13 mil milhões de dólares americanos – mas dentro dos próximos oito anos pode chegar aos 70 mil milhões – e quase todo o dinheiro vai para o exterior, para Londres, Nova Iorque, Singapura e Hong Kong. No relatório constava que com tanto dinheiro envolvido fazia realmente sentido desenvolver Mumbai enquanto centro financeiro internacional. Mumbai já tem um mercado de acções computadorizado, a Bolsa de Valores de Mumbai. Quem sabe se em breve não poderá ter o seu próprio *big bang*, desde que algumas leis financeiras arcanas sejam esclarecidas.

OS *DABBAWALLAHS* DE MUMBAI

Todas as manhãs sem excepção, há um exército descalço de cinco mil pessoas que entra em acção em Mumbai. São os *dabbawallahs*. *Dabba* é a palavra hindi para «caixa» e a tarefa dos *dabbawallahs* é entregar uma refeição caseira dentro de uma caixa de alumínio, em forma de tambor, aos trabalhadores de Mumbai. O almoço é mesmo caseiro, feito pelas mulheres dos trabalhadores, segundo uma tradição antiga que data da época de Raj, quando muitos habitantes de Mumbai (*Kars*) detestavam a comida servida nas empresas britânicas. Parece estranho e antiquado, mas é um negócio extraordinariamente eficaz. Todos os dias, precisamente à mesma hora, os *dabbawallahs* vão buscar o seu lote de caixas às casas e dirigem-se para a cidade de comboio ou bicicleta, com as caixas equilibradas em cima da cabeça. Todos os dias, duzentas mil refeições são entregues a tempo, à pessoa certa, haja seca ou monção.

As vergonhas de Mumbai

Lado a lado com o brilho das TI de Mumbai e o encanto de Bollywood, os centros comerciais e as instituições financeiras, está a faceta mais negra da cidade. Mumbai sempre foi uma cidade de contrastes extremos, com um abismo gigante entre os afortunados e os que nada têm. Na época Raj, os britânicos pavoneavam-se nas ruas ladeadas de árvores a imitar a Inglaterra com as

suas grandes casas vitorianas, enquanto os garotos de rua indianos apenas se aventuravam ocasionalmente a sair dos bairros pobres em redor de Mumbai. Agora os quarteirões britânicos são locais isolados, e indianos ricos e pobres vivem lado a lado no coração da cidade. A proximidade é extrema e os contrastes são dramáticos. Surgem apartamentos de luxo literalmente do meio dos bairros pobres mais repugnantes que se possam imaginar. Ao saírem dos BMWs, os *moguls* de Mumbai têm de saltar por cima de trabalhadores cuja única cama é o chão das ruas. Meninos e meninas pobres trabalham dezoito horas por dia em algumas das piores fábricas do mundo, em condições perigosas e a troco de migalhas, enquanto apenas à distância de uma rua as crianças geniais das TI da cidade teclam à vontade em escritórios reluzentes e com ar condicionado, ganhando a quantia que fará deles «crorepatis» (os mais ricos de Mumbai, com uma fortuna acima de 1 «crore», ou seja, dez milhões de rupias) quando tiverem 30 anos.

As acomodações são tão procuradas que as massas de migrantes pobres de Mumbai simplesmente não conseguem encontrar um sítio para viver, quanto mais um lugar que possam pagar. Esta é uma cidade em que não apenas milhares, mas centenas de milhares de pessoas, dormem nas ruas, na calçada, em entradas de prédios, atrás de caixotes, em valetas, canos de esgoto – e há inúmeras crianças selvagens. Aqueles que encontram casa nos bairros pobres de Mumbai, com esgotos a céu aberto e caminhos infestados de ratos, consideram-se afortunados. Crê-se que um milhão de pessoas viva no repugnante pardieiro de Dharavi, numa área com metade do tamanho do Central Park em Nova Iorque, e, em toda a Mumbai, cerca de dez milhões de pessoas vivem em bairros de lata que só podem, no mínimo, ser adjectivados como desumanos.

AMBY VALLEY

Lá fora, nas montanhas Sahyadri, a oriente de Mumbai, está um dos projectos mais extraordinários que o boom da cultura indiana produziu. Aqui está a ser construído o Amby Valley. Amby Valley é o derradeiro projecto privado para os super-ricos – não é apenas um bloco de apartamentos ou uma rua, mas uma cidade inteira esculpida nas rochas e na vegetação das colinas de Deccan. O homem que está por trás de

Amby Valley é Subrata Roy, a quem o grupo Sahara Parivar colocou na esfera dos mega-ricos da Índia. Descreve-a como uma «cidade de sonho». É certamente surreal. O complexo está completamente rodeado por uma vedação alta e constantemente patrulhada por guardas armados e cães, como se fosse um campo prisional estranho onde os prisioneiros estão do lado de fora. No interior da vedação, distante das casas de multimilhões de dólares, estão quatro lagos artificiais, um campo de golfe com padrões internacionais, uma pista de aviões, uma lagoa com uma praia artificial e vários restaurantes de luxo. Em projecto estão ainda uma escola pública ao estilo inglês, um hospital ultra moderno com 1500 camas, centros comerciais e uma «zona económica», que vai permitir aos residentes de Amby Valley evitar qualquer contacto com tudo o que seja do mundo exterior. Os perfeitos relvados extraordinariamente cuidados, as ruas sem lixo e as estradas planas são mais parecidas com Stepford do que com a Índia. O único problema até agora é que não há muitos habitantes. Uma campanha publicitária, que realça estrelas do desporto como Anna Kournikova, atraiu até agora os mega-ricos da Índia para comprarem apenas algumas centenas dos 7000 terrenos em oferta até 2012. Portanto, é possível que o Sahara Lake City, como também é chamado, se torne genuinamente um deserto.

Venda dos bairros de lata

As pessoas que vivem nos bairros de lata de Mumbai têm vindo a melhorar as suas vidas sem ajuda de terceiros. Podem ser desesperadamente pobres, e o crime, as doenças e as privações podem infectar as suas cabanas sobrelotadas, como os mosquitos que antes infectaram com malária os pântanos onde tinham sido construídas, mas muitos habitantes das cabanas trabalham arduamente e têm feito melhorias. Muitas destas pessoas são trabalhadores especializados em peles e tecidos, de quem a indústria da cidade depende. Agora, alguns bairros de lata já têm algum tipo de fornecimento de electricidade. Alguns até já têm água corrente, apesar de apenas durante uma hora por dia. Em 2002, foi feito um inquérito em Dharavi que revelou que 85 por cento dos lares têm uma TV, 75 por cento têm uma panela de pressão, 56 por cento têm um fogão a gás e 21 por cento um telefone. Claro que isto soa melhor do que é na realidade – porque uma casa pode conter dúzias de pessoas e muitas delas, em Dharavi, nem sequer têm casa. Mas as melhorias são evidentes.

Todavia, ironicamente, estes melhoramentos estão a criar problemas em áreas como Dharavi. Quanto mais a vida nestes locais melhora, mais atractivos também se tornam para os que têm dinheiro. Surpreendentemente, até Dharavi foi sugada pelo boom do mercado imobiliário de Mumbai. Um apartamento de 21 metros quadrados, que podia ser construído em Dharavi por 1500 dólares na viragem do século XXI atinge agora os 11 000 dólares – muito além das posses de qualquer novo migrante que é cada vez mais forçado a ir para os degradantes bairros de lata nos arredores da cidade.

Os pobres podem ser ainda mais pressionados para sair conforme as melhorias nos bairros de lata no interior da cidade. Dharavi fica mesmo no coração da cidade e os promotores têm-na debaixo de olho como um bem imobiliário de primeira qualidade. Em Maio de 2007, as autoridades estatais anunciaram um plano para retirar completamente Dharavi do caminho, através de um projecto de melhoramento de um promotor privado, no valor de 2.3 mil milhões de dólares. O promotor irá adquirir terras que se destinam ao desenvolvimento habitacional e comercial e em troca tem de providenciar casas novas e gratuitas para os pobres de Dharavi que forem desalojados. Será possível o maior bairro de lata de Mumbai desaparecer e os seus habitantes receberem casas novas e maravilhosas sem pagar? Parece bom demais para ser verdade – e provavelmente é. Como alguns activistas ultrajados salientaram, todo este plano é baseado em estimativas oficiais do governo em que só existem 57 000 famílias a viver em Dharavi. Mas é claro que, devido à sua natureza, muitos dos habitantes de Dharavi não constam dos registos oficiais. Provavelmente vivem ali cinco ou dez vezes mais pessoas, que ficarão sem casa se os *bulldozers* avançarem.

PERFIL:
MUKESH AMBANI

«Penso que a nossa crença fundamental é que, para nós, o crescimento é um modo de vida e nós temos de estar sempre a crescer.»

Com tantos homens de negócios a chegar à Índia, Mukesh Ambani é de longe o maior. Fala e pensa em grande e se alguns dos seus planos se tornam realidade então provará que também agiu em grande.

Nascido em 1957, Ambani é um dos dois filhos do patriarca da maior companhia indiana, a Reliance. Obteve a licenciatura em engenharia química em Mumbai e depois fez o MBA na Stanford Business School, nos EUA – até o seu pai o chamar de volta para organizar o negócio de têxteis e petroquímica da Reliance. De imediato, começou a pensar em grande (demasiado em grande, disseram alguns na altura). Mas Ambani teve resultados enormes e com grande sucesso – um deles foi a gigante refinaria de petróleo em Jamnagar, que transformou a Índia, pela primeira vez, numa rede de exportação de energia quando começou a funcionar em 2000. Quando o seu pai, Dhiurubhai, morreu, em 2002, uma disputa amarga entre ele e o irmão mais novo, Anil, fez cabeçalhos em todos os tablóides. Contudo, em 2003, realizou o primeiro dos seus maiores sonhos para a Índia, quando a sua companhia de telecomunicações Infocomm reduziu o preço de cada chamada telefónica para um cêntimo por minuto.

Presentemente, Ambani está na mó de cima e os seus projectos são extremamente ambiciosos. Em primeiro lugar, elaborou um projecto de 11 mil milhões de dólares para, em apenas quatro anos, construir duas cidades-satélite no exterior de Mumbai e de Deli, cada uma com uma população de cinco milhões. Mas este é um dos seus projectos mais pequenos. O seu maior plano é nada mais, nada menos, do que revolucionar por completo o sector retalhista e agrícola da Índia. No que diz respeito à agricultura, tenciona criar 1600 centros de fornecimento de produtos agrícolas ao longo do país para proporcionar aos agricultores um conhecimento técnico, crédito a baixo custo, sementes, fertilizante e combustível – e também para lhes comprar a produção. Está a dar formação a dezenas de milhares de trabalhadores para construírem bons armazéns pré-fabricados e boas estradas e criarem boas redes de transporte para garantir que a comida chega à parte seguinte do seu plano – os supermercados.

Num país onde 96 por cento das lojas são pequenos negócios familiares, Ambani tenciona tornar-se o «Wal-Mart da Índia», como lhe chama – incorporando a última tecnologia em logística. Só que, em vez de tirar as pequenas lojas do caminho, espera conseguir incorporá-las na cadeia. Uma experiência em parceria com a pequena cadeia Sahakari Bhandar em Mumbai demonstrou um enorme sucesso e Ambani tenciona agora construir grandes lojas nas margens das pequenas cidades antes de se virar para as megacidades. Está tão confiante de que este ataque combinado à agricultura e ao retalho vai funcionar que, não só prevê um extra de 20 mil milhões de dólares nas exportações agrícolas anuais, como também pode vencer o Wal-Mart no seu próprio jogo. O tempo dirá se tem razão.

O pão de Deli

Embora seja Mumbai que atrai a atenção do mundo, as outras três grandes cidades da Índia – Deli, Calcutá e Chennai – também se têm expandido tremendamente. Deli e os arredores têm uma população que toca os 21 milhões, colocando-a unicamente atrás de Mumbai como a sexta maior megacidade do mundo. Calcutá também está entre as primeiras dezoito e Chennai não está muito atrás.

A população de Deli está a crescer 5 por cento ao ano, devido aos migrantes que afluem aqui vindos de toda a planície do Ganges. Não existe a mesma restrição de espaço que em Mumbai e a cidade está a estender-se muito e depressa ao longo da planície, como uma grande erupção cutânea. Em apenas poucos anos, a auto-estrada tornou-se o centro de um conjunto de cidades-dormitório amontoadas. Nos últimos anos, Deli transformou-se num íman ainda mais poderoso para o investimento estrangeiro do que Mumbai. Uma das razões é encontrar-se fisicamente perto do coração de um dos maiores mercados de consumo e em mais rápido crescimento. Não é coincidência que os fabricantes de bens de consumo estejam na linha da frente dos novos negócios, ultrapassados apenas pelo sector de retalho, que está em crescimento explosivo. Tanto a Wal-Mart como a Tesco estão a começar as suas actividades indianas em Deli. Uma segunda razão pela atracção crescente de Deli é haver mais espaço aqui do que em Mumbai. Um terceiro motivo, e talvez crucial, é que Deli agiu de acordo com as infra-estruturas. A cidade de Deli tem sorte em ter um bom governo – em forte contraste com Mumbai e muitas outras cidades indianas.

Avanço surpreendente

A Presidente da Câmara de Deli desde 1998, Sheila Dikshit, reconheceu que os dois grandes problemas que se encontram no caminho do progresso em qualquer grande cidade indiana são as débeis infra-estruturas e a corrupção oficial – que andam de mãos dadas. E parece estar a fazer mais do que a maior parte para os tentar resolver. No seu livro *In Spite of the Gods*, Edward Luce descreve magnificamente o dilema enfrentado por qualquer político ao tentar melhorar as infra-estruturas. Quando tentou modificar o sistema de fornecimento de água em Deli, que emprega uma vasta e desnecessária força laboral, mas que falha no fornecimento de água à maior parte da população da cidade, encontrou-se em verdadeiros maus lençóis. Quando subiu ligeiramente os preços para tentar alargar o fornecimento, foi acusada de extorquir os pobres – apesar de toda a água pública de Deli ir para a classe média e nenhuma para os bairros de lata. Contudo, foi persistente e obteve alguns sucessos notáveis.

Um dos mais espectaculares é obviamente o novo metro. Quando estiver completo, vai ser uma das maiores redes subterrâneas do mundo, com 225 estações e linhas que chegam a todos os cantos da cidade. Os habitantes de Deli nunca mais vão ter de passar horas a lutar contra o trânsito da cidade. Até os pobres vão poder saltar para o metro e percorrer a cidade numa breve viagem. Os trabalhos no metro começaram em 2004 e a meio de 2007 estavam construídas quase cem estações. Os fundos para o projecto são obtidos através de uma parceria que engloba dinheiro privado japonês e alemão e dinheiro do governo de Deli. Dikshit tem feito o seu melhor para assegurar que o governo está tão envolvido quanto possível, no sentido de o projecto ficar notavelmente livre da corrupção ineficiente que afecta tantos projectos públicos indianos.

Todavia, Deli continua uma enorme cidade suja, cheia de grandes e atrozes bairros de lata, assim como também de novos centros comerciais, e os melhoramentos, embora importantes, são ainda pequenos. Apesar disso, em 2007, um relatório da firma de consultoria Mercer acerca da qualidade de vida classificou Deli como a melhor cidade indiana em termos de condições de vida, embora reconhecendo que a competição não era severa.

Deli quente

Deli tem sido sempre vista como a irmã antiquada da vigorosa, dinâmica e notável Mumbai, sempre ligeiramente atrás nos tempos. Repleta de história, com as suas cúpulas e minaretes e elegantes relíquias mogóis, cheios de cores tradicionais, com a sua cacofonia de vendedores de rua e a profusão de comida local. Bom, mas a capital do país sempre pareceu pouco mais do que isso, comparada com a vibração de Mumbai. No entanto, há uma consciência de que Deli está agora a começar a perder alguma da sua imagem conservadora. Jovens com dinheiro estão a começar a ter impacto. Estão a abrir bares e restaurantes com os interiores inspirados em Londres e Nova Iorque. Clubes modernos ecoam música R'n'B pela noite dentro. E, por toda a cidade, há jovens inteligentes a tagarelarem ao telemóvel ou a bebericar *cappuccinos* em estabelecimentos Barrista (a resposta da Índia à Starbucks). Mas, logicamente que as vacas continuam lá, nas estradas, como sempre estiveram, e os velhos fumam *beedis,* como sempre fumaram. Talvez seja um sinal dos tempos, embora as crianças de rua se encontrem com os turistas na estação para lhes oferecer uma viagem rápida pelos seus lugares. Agora, até a pobreza se pode tornar um negócio rentável.

Para além das quatro maiores

Apesar do foco de atenção estar muito centrado nas quatro maiores cidades da Índia, Mumbai, Deli, Calcutá e Chennai, e nas poderosas TI de Bangalore e Hyderabad, as cidades mais pequenas também têm vindo a crescer. Nos censos, entre 1991 e 2001, o número de cidades indianas com mais de um milhão de pessoas disparou para 35. As cidades de tamanho médio como Pune, Nashik e Kanpur estão todas a crescer rapidamente. Todavia, o verdadeiro foco é Surat.

Situado na costa ocidental em Gujarate, Surat foi em tempos o porto principal deste lado da Índia, até ter sido completamente eclipsado por Mumbai. No entanto, agora, está a passar por um género de renascimento. O *Rough Guide to India* excluiu Surat porque «só tem verdadeiro interesse para os aficionados da história colonial». Mas se não oferece muito aos turistas, oferece muito aos migrantes que estão a chegar aos milhares. Surat não é uma cidade de boom tecnológico, mas um foco industrial genuíno e oferece empregos aos indianos comuns de uma forma que nem Bangalore nem Hyderabad oferecem. Na verdade, Surat foi classificada cidade N.º 1 da Índia para se ganhar

A EMERGÊNGIA DOS SEGUNDOS PLANOS

Consciente da enorme pressão sobre as quatro maiores cidades, o governo indiano lançou um plano deliberado para melhorar 62
cidades de segundo plano e conseguir através
delas providenciar centros de crescimento
alternativos. Cerca de 29 mil milhões de dólares vão ser gastos
entre 2007 e 2014 para melhorar as infra-estruturas e o meio
ambiente destas segundas classificadas, na esperança de que
isto seja suficiente para pôr essas economias em movimento.
Numa entrevista telefónica com o *New York Times*, Montek
Singh Ahluwalia, vice-presidente da Comissão de Planeamento,
disse: «Nos próximos dez anos, cem milhões de pessoas vão
mudar-se para as cidades e é importante que estes cem milhões
sejam absorvidos pelas cidades de segundo plano em vez de
aparecerem em Deli ou Mumbai». A primeira na lista é Nagpur.
O governo já pôs de lado 280 milhões de dólares para a cidade
gastar no melhoramento das estradas, criação de parques e
expansão e modernização do aeroporto para ter estatuto internacional. Um sistema de trânsito amigo do ambiente também
está a caminho e também zonas económicas, com boa água,
electricidade e cabos de fibra óptica para atrair os negócios. É
um plano ambicioso, mas há uma boa hipótese de as cidades de
segundo plano providenciarem a solução para o futuro crescimento económico da Índia.

dinheiro, investir e viver. Como resultado, está a crescer mais depressa do que
qualquer outra cidade indiana, aumentando de 2.8 milhões de habitantes em
2001 para 4.9 milhões em 2006. De facto, segundo a rede City Mayors, Surat
será a quarta área urbana a crescer mais rapidamente em todo o mundo entre
2006 e 2020, e por essa altura estará classificada entre as megacidades.
Indústrias pesadas como a petroquímica Reliance e o aço Essar estão sedeadas

em Surat, mas as maiores áreas de emprego são os têxteis e os diamantes. Surat é o centro de fibras sintéticas da Índia, transformando 40 por cento de todas as fibras feitas à mão em mais de seiscentos mil teares poderosos espalhados por toda a cidade. E, se é a capital indiana dos sintéticos, Surat é a capital do mundo inteiro no que toca aos diamantes. O negócio dos diamantes em Surat é enorme. Entre 70 a 90 por cento de todos os diamantes do mundo são cortados e polidos nesta cidade. Só em Surat existe mais de meio milhão de pessoas a trabalharem na indústria de diamantes e os empregos, segundo os padrões indianos, são muito bem pagos. O único problema para os homens que vêm para aqui, que encontram um bom trabalho e que acabam por ficar é a falta desesperante de mulheres. Surat é um mundo de homens e parece que vai permanecer assim por algum tempo.

8. ÍNDIA JOVEM

«[O meu telemóvel] está sempre a tocar. Faz-me sentir que alguém me ama, que alguém se preocupa comigo neste mundo… E consegues estar contactável. Acho que dá prestígio ter um telemóvel.»

Adolescente indiano acerca da importância dos telemóveis,
citado pelo repórter da BBC Zubair Ahmed

Até agora, a atenção do mundo tem estado largamente focada no impacto económico das liberalizações financeiras da Índia em 1991, talvez devido às oportunidades – e ameaças – que oferece aos negócios ocidentais. Contudo, existe outra alteração muito mais profunda a tomar o lugar. A Índia é um país muito jovem, com quase metade da população abaixo dos vinte anos. Por outras palavras, quinhentos milhões de jovens indianos estão a crescer conhecendo a Índia apenas após a liberalização e é claro que a proporção está a aumentar a todo o momento. Nesta altura, a maior parte destes jovens pós-liberalização são ainda crianças e adolescentes, mas estão a crescer depressa e em poucos anos vão tornar-se a nova face da Índia – e vão mudar a Índia para sempre.

Apenas um ano após a liberalização em 1991, a TV por cabo e por satélite emite programas de televisão ocidentais nas casas de cinquenta milhões de indianos. No canal Rupert Murdoch's Star TV, os indianos podem ver claramente, pela primeira vez, os estilos de vida dos ocidentais em novelas como Santa Barbara e ver o desenrolar das notícias de todo o mundo. Mesmo para a geração mais velha, que sempre viveu num mundo fechado, o efeito foi dramático – mas para as crianças indianas que cresceram com este novo mundo, o efeito foi literalmente de mudança de vida. Ao invés de aprenderem com os mais velhos e com os professores, esta geração tem aprendido muitos dos seus valores através da Viacom's MTV e do canal de música Murdoch's Channel V. O estilo empertigado, de pegar ou largar, dos jovens apresentadores de música pop como Cyrus Broacha não pode ser mais diferente da austeridade e obediência com que a geração mais velha cresceu.

É óbvio que apenas uma pequena porção da juventude indiana tem capacidade suficiente para entrar de cabeça na onda do mundo moderno. Todavia, há 22 milhões de adolescentes de classe média a viverem nas cidades indianas e os efeitos destas mudanças estão a espalhar-se por todo o país. Todos, excepto os indianos mais pobres das áreas rurais mais distantes, podem ver televisão, pelo menos de vez em quando. Ocasionalmente, todos menos os mais pobres têm hipótese de utilizar a Internet e isto também está a ter o seu efeito.

Número de pessoas (milhões) por grupo etário

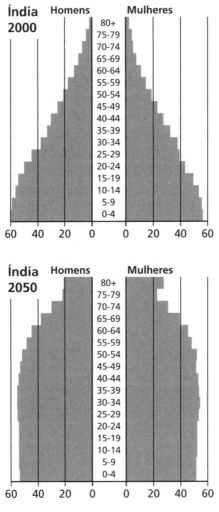

Fonte: Centro de Censos dos EUA

Menina Índia

As adolescentes na Índia ainda admiram Mahatma Gandhi e usam saris, mas também gostam de usar calças de ganga justas e saltos altos, beber refrigerantes e até bebidas alcoólicas e ver a MTV, tal e qual como as suas homólogas do Ocidente. Também como as suas homólogas do Ocidente, muitas adolescentes indianas têm um sentido de moda perspicaz e preocupam-se até à obsessão com os produtos de beleza. A beleza é um negócio de 3 mil milhões de dólares na Índia e não são só os miúdos da cidade que contribuem. A Proctor & Gamble vê as suas vendas principais a aumentar nas áreas rurais.

Ter boa aparência é vital para estes jovens adolescentes indianos – tanto para os rapazes como para as raparigas. E mais: vão matar-se a trabalhar para garantir que a têm. A palavra de ordem é «aspiração» e aqueles que ainda andam na escola arranjam emprego em *part-time* para terem a certeza de que têm o suficiente para comprar as coisas de que precisam. Quando o sector de retalho começou a aumentar nas cidades, as lojas encheram-se de empregados adolescentes desesperados que queriam ganhar aquele bocadinho de dinheiro que lhes permitia manterem as aparências. O ponto de encontro para muitos destes adolescentes é o Barrista, a versão indiana do Starbucks. As lojas de café Barrista não são apenas os lugares preferidos para passar o tempo, são também o melhor local para arranjar trabalhos em *part-time*.

PERFIL: SANIA MIRZA

«Quente e sexy» – é como os jornais descrevem a sensação adolescente indiana, Sania Mirza, e isto demonstra como as atitudes têm mudado, embora exista um considerável barulho por parte dos mais tradicionalistas. Sania Mirza nasceu em 1986, em Mumbai, e cresceu em Hyderabad. É uma filha  da geração MTV e isso nota-se. No campo de ténis fez sensação tornando-se a indiana mais jovem e a primeira mulher indiana a ganhar um título no Grand Slam de juniores, aos 16 anos, em 2003, e também na dupla júnior em Wimbledon. É a única mulher indiana que alguma vez chegou ao top 50 da classificação do ténis mundial. Mas não são apenas as suas vitórias no ténis – que muitas vezes não corresponderam às expectativas – que fizeram dela um ícone da juventude indiana; é todo o seu estilo de vida, tão em sintonia com a geração MTV. Fora do campo veste-se de acordo com as últimas modas, mas é dentro do campo que realmente tem atraído as atenções. Sem dúvida consciente do seu poder de atracção, usa saias super curtas, barriga à mostra, camisa de manga curta e maquilhagem. Inúmeras estrelas de ténis adolescentes no mundo usam as mesmas roupas jovens e sexy sem suscitar qualquer comentário, mas na Índia estas têm causado algum escândalo. Mirza é muçulmana e em 2005 houve condenações na imprensa conservadora e os grupos muçulmanos de linha dura ameaçaram obrigá-la a deixar de jogar se ela não passasse a usar «roupas apropriadas» no campo. Os adolescentes adoravam o seu estilo, mas Mirza insistiu que era uma muçulmana devota que rezava cinco vezes por dia e que não queria ofender ninguém.

Em busca do ouro

Se há alguma coisa que una a nova geração é o dinheiro. Um inquérito feito pela Coca-Cola revelou que a maior ambição dos jovens indianos, desde a mais pequena aldeia à maior cidade, é «ficar rico». No passado, a maior parte dos jovens indianos, quando crescesse, queria uma carreira na função pública, em engenharia ou medicina. Agora, são os empregos bem pagos nas TI e nos *media* a representar o Santo Graal. Também não há dúvida de que os jovens indianos têm a energia para realizar os seus sonhos.

Milhões de jovens estão agora empenhados em aprender ciências informáticas com um zelo que os indianos só davam aos seus deuses. Segundo Hema Ravichander, directora dos recursos humanos da gigante TI Infosys, «É quase uma religião entre os jovens.» Simplesmente não há vagas suficientes nos institutos do Estado para todos os miúdos que exigem aprender ciência informática, por isso organizações privadas como o Instituto Nacional de Informação Tecnológica e a Aptech estão a abrir milhares de escolas para fazerem face à procura – e a fazer grandes quantias em dinheiro no processo.

No entanto, não se trata apenas da educação. A aspiração dos jovens foca-se também nas empresas. A Infosys recebe um milhão de candidaturas por ano, mas, para muitos, a Infosys não é só um local para arranjar trabalho, mas uma inspiração. Narayana Murthy, da Infosys, é um herói para muitos jovens indianos pelo seu empreendorismo. Cada vez mais jovens indianos têm a visão de ficarem ricos criando o seu próprio negócio. Já não se contentam em esperar até terem alguma experiência para se estabelecerem por conta própria, muitos jovens dão o salto e tornam-se empresários com 20 anos ou menos.

Call Centres adolescentes

O espírito empresarial está a espalhar-se pelos jovens indianos, até nas áreas rurais. Os adolescentes são geralmente melhores a lidar com as tecnologias do que os mais velhos, e estão a aproveitar-se disso. Actualmente, em muitas aldeias indianas, o serviço de telefone público é um adolescente com um telemóvel. A empresa de telemóveis empresta o telefone ao adolescente e tanto a empresa como o rapaz ganham dinheiro ao cobrar aos aldeãos por cada chamada feita. Koshika, a maior empresa de telemóveis dos Estados pobres de Bihar e Uttar Pradesh, está a ir mais longe.

A revolução das comunicações

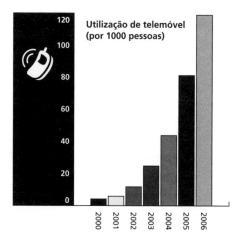

Utilização de telemóvel
(por 1000 pessoas)

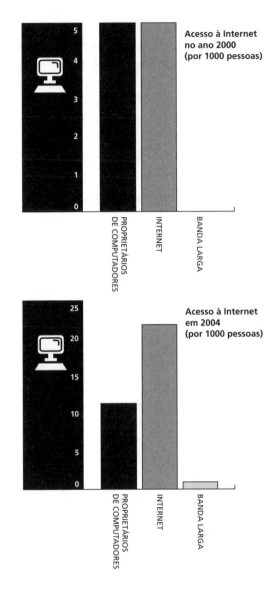

Acesso à Internet
no ano 2000
(por 1000 pessoas)

PROPRIETÁRIOS DE COMPUTADORES · INTERNET · BANDA LARGA

Acesso à Internet
em 2004
(por 1000 pessoas)

PROPRIETÁRIOS DE COMPUTADORES · INTERNET · BANDA LARGA

Oferecem um computador aos rapazes dos telemóveis com um desconto enorme e dão-lhes aulas gratuitas. Depois, mediante um preço, o rapaz envia *e-mails* em nome dos aldeãos – e há imensa procura, uma vez que a maioria das famílias tem alguém a trabalhar longe, nas cidades ou no Golfo Pérsico.

Os telemóveis – ou «telefones celulares», como os jovens indianos lhes preferem chamar, à maneira americana – estão a tornar-se uma parte integrante da

vida adolescente. Até aqueles que não têm telemóvel desejam um – essa é a razão pela qual a Índia constitui o mercado de telemóveis em mais rápido crescimento do mundo. No artigo escrito por Zubair Ahmed, o autor da citação que abre este capítulo, outro adolescente diz: «Quando vejo as pessoas à minha volta a falarem ao telemóvel, sinto-me excluído.» Para os que são suficientemente afortunados por terem um, o telemóvel tornou-se uma parte indispensável da vida, para combinar eventos sociais, manter-se a par dos últimos mexericos e ser simplesmente um sinal visível de que estão na mó de cima. O telemóvel também se tornou uma linha de apoio para muitos jovens indianos à medida que a necessidade de viajar para encontrar trabalho os afasta dos entes queridos.

MARCAS DA MODA

Um questionário feito recentemente aos jovens indianos mostrou que estes gastam a maior parte do dinheiro em roupas, e cerca de 19 por cento na compra de telemóveis e no pagamento de chamadas efectuadas. Os cafés e os centros comerciais são descritos como «lugares preferidos», enquanto a casa, os cinemas e as lojas são os melhores lugares para se passar o tempo. Esta selecção de jovens indianos parecia tão profundamente consciente das marcas como os jovens ocidentais. As Levi's são universalmente populares, enquanto a Benetton é a «preferida» entre as raparigas, seguida da Liberty. As marcas de desporto ocidentais como a Adidas, a Nike ou a Reebok estão no topo da escala de preferências, enquanto no que toca «ao que se usa nos olhos», a Ray-Ban e a Fastrack lideram. A Nokia é a marca de telemóveis a ter, enquanto curiosamente a tradicional marca de sapatos Bata é a favorita. Apesar desta consciência das marcas, ao contrário dos ocidentais, os adolescentes indianos não se preocupam tanto com o facto de usarem cópias. O elevado preço dos artigos originais e a ausência de protecção aos direitos de autor significam que não há o mesmo estigma ligado aos artigos falsificados. A aparência é tão importante como a autenticidade da marca.

Novos acordos

Curiosamente, tanto a Internet como os telemóveis estão a ser adaptados para ajudar uma parte muito tradicional da cultura indiana, os casamentos arranjados. Não há dúvida de que agora cada vez mais jovens indianos querem casar por amor e muitos até ficam contentes por fazê-lo sem olhar à divisão de castas, especialmente nas cidades. Contudo, a grande maioria dos indianos fica feliz por se submeter à via tradicional e aceitar o companheiro escolhido pelos pais. A única diferença é que querem ter um papel mais activo no processo de selecção, e é aqui que entra a tecnologia.

Os telemóveis, por exemplo, tornam mais fácil os casais conhecerem-se um ao outro antes de um casamento arranjado, sem quebrar por completo as limitações do contacto permitido. Quando um jovem se encontra pela primeira vez com uma rapariga que poderá vir a ser sua noiva, a primeira questão que pode levantar é: «Qual é o teu número de telemóvel?» (as regras de etiqueta tradicional também significam que se uma rapariga liga ao namorado, este muitas vezes ignora ou até desliga abruptamente – depois liga-lhe imediatamente a seguir, para ser ele a «pagar a conta».)

Também a Internet está a desempenhar um papel nos casamentos arranjados da geração mais nova. Cada vez mais sítios de Internet estão agora a disponibilizar um equivalente dos casamentos arranjados com um serviço de namoro *online*. Os jovens indianos que procuram uma companheira limitam--se a entrar no sítio e a seleccionar um número de companheiras adequadas, de entre a variedade oferecida pelo *website*. Em seguida, normalmente trocam alguns *e-mails* e fotografias com a eleita da Internet e depois decidem se querem dar o passo seguinte. Nessa altura, os pais também se envolvem. São eles que conhecem a potencial companheira primeiro e aprovam (ou não) a escolha.

Se a juventude indiana está a encontrar um meio-termo junto dos pais sobre a questão dos casamentos arranjados, o mesmo está a acontecer com os pais, que, de acordo com a época, mudam de pontos de vista acerca do que poderá ser uma escolha adequada. Muito frequentemente, os pais estão mais interessados em descobrir se o potencial marido da filha é um engenheiro de software que vai ganhar imenso dinheiro, do que em saber se provém da casta certa. No negócio das TI, os casamentos entre castas diferentes estão a tornar--se comuns entre esta geração bem sucedida – e os pais ficam muitas vezes contentes com isso.

JOVENS ELEITORES

Tal como os jovens de todo o mundo, a juventude indiana ficou desiludida com a política e com os políticos. De acordo com a Constituição, qualquer indiano com mais de 18 anos tem direito a votar. No entanto, pou-  cos o fazem antes de chegarem à casa dos vinte. Há indícios de que grande parte da presente geração de jovens com vinte anos e menos nunca se deu ao trabalho de votar. Os políticos são vistos como corruptos e até infantis, como alguém que nada faz para ajudar as pessoas ou as suas vidas. Para os jovens, enriquecer através das empresas e do trabalho árduo parece uma melhor opção para melhorar a vida do que ir às urnas. Para além disso, as atracções da cultura de consumo parecem muito mais sedutoras do que a antiquada política tortuosa. Alguns políticos e organizações estão profundamente preocupados com a apatia política entre os jovens e estão a criar programas para reverter a situação. Têm uma dura tarefa pela frente.

Os adolescentes esquecidos

No entanto, com todas estas mudanças e aspirações, todos os telemóveis e moda ocidental, ligações à Internet e saídas em grupo, existem muitos milhões de adolescentes indianos que estão a ser deixados de fora – porque simplesmente não podem comprar produtos da moda nem manter o nível de vida que lhes é mostrado na televisão, se é que chegam a ver televisão. Por exemplo, mesmo que ofereçam computadores a estes jovens, como alguns esquemas bem intencionados propõem, eles podem nunca vir a poder usá-los – porque 60 por cento das habitações rurais da Índia não têm electricidade.

Não são apenas os bens de consumo e a tecnologia que estão muito aquém do alcance desta grande parte de jovens indianos. O mesmo se passa com a educação básica. O país tem o maior número de crianças do mundo que não vão à escola, e a quantidade de pessoas na Índia que não sabem ler nem

escrever é maior do que em qualquer outro país do mundo. Há inúmeras razões para este facto, mas não ajuda que, de um terço a metade de todas as horas de aulas, não existam, simplesmente, porque o professor não aparece. Para centenas de milhões de adolescentes indianos, o mundo está a mudar dramaticamente, e a mudar para muito melhor, mas, para muitos outros, a vida é tão difícil como sempre foi.

9. ÍNDIA TOPO DE GAMA

«Queremos, em todos os sentidos possíveis, fazer da Infosys o local de trabalho mais desejado pelas pessoas»

Nandan Nilekani, CEO da Infosys

Depois de quarenta e cinco minutos de carro desde o centro de Bangalore, por estradas quentes, poeirentas e esburacadas, depois de passar por cabanas e barracas, deparamos com o *campus* da Infosys. É a sede principal da empresa de software Infosys e a palavra «campus» foi cuidadosamente escolhida, não só para transmitir a ideia de busca intelectual num plano mais elevado, e não apenas um simples negócio, mas também para se ter noção do ambiente calmo e distinto em que se enquadram os escritórios. Passar os portões do *campus* é como entrar num mundo comparável ao reino mágico da Disney. A confusão poeirenta e decrépita do exterior desaparece quando se transpõem os portões e se entra num mundo de relvados extraordinariamente cuidados, tecnologia topo de gama e trabalhadores fortemente motivados, mas muito descontraídos, que deslizam entre os edifícios de escritórios, por baixo das árvores, em bicicletas reluzentes cedidas pela empresa. Os visitantes VIP são convidados a plantar uma árvore, para adicionar à profusão de vegetação já existente.

O *campus* da Infosys parece ser o modelo dos negócios modernos esclarecidos. Cresce, oferece supermercados lá dentro, ginásios, piscinas e lavandarias, existe tudo naquele local para agradar aos empregados. Junto a todas as portas há chapéus-de-chuva com as cores do arco-íris para que ninguém seja apanhado pela chuva. Os empregados são encorajados a trazer os filhos para o trabalho de vez em quando e ao fim-de-semana a empresa mais parece um campo de férias, há filmes a passar no ecrã gigante, concertos de rock e muito mais.

Por isso, talvez não seja de admirar que a Infosys seja o local de trabalho mais desejado em toda a Índia – especialmente porque, de acordo com os padrões indianos, o salário é do outro mundo. Na verdade, até de acordo com os padrões do primeiro mundo, o salário quase não é deste planeta. As primeiras mil pessoas da lista de pagamentos da Infosys tornaram-se todas milionárias. Contudo, apesar da Infosys ser o pináculo, as indústrias de tecnologias de informação não deixam nada nem ninguém indiferentes.

Cidades como Bangalore, Hyderabad e Mumbai foram transformadas pelo sucesso da actividade das TI indianas e o impacto das tecnologias de informação no país, como um todo, foi muito profundo. Em 2010, espera-se que as exportações de software de computadores da Índia ultrapassem os 50 mil milhões de dólares americanos – mais do que o total de exportações do país em

2005 – e inúmeros indianos fizeram fortunas no negócio dos computadores, incluindo Vinod Khosla, que fundou a Sun Microsystems, Hemant Kanakia, que vendeu a Torrent Networks à Ericsson, e Narayana Murthy, da Infosys (ver página ao lado). Azim Prenji tinha uma empresa de gorduras hidrogenadas moderadamente bem sucedida, até se aventurar no mundo das TI com a empresa Wipro, que, de uma só vez, fez dele o terceiro homem mais rico do mundo.

Actualmente, a Índia tornou-se no pano de fundo para os computadores mundiais. Hoje em dia, das 500 maiores empresas, 200 têm as operações informáticas sedeadas na Índia e os indianos parecem estar a afirmar a sua posição no negócio das TI, não apenas na Índia, mas em todos os continentes. O Hotmail foi criado pelo indiano Sabeer Bhatia e o chip Pentium foi criado por Vinod Dham, e quatro em dez programas de arranque de Silicon Valley, na América, foram criados por indianos.

Aquilo que torna tão surpreendente a explosão das TI na Índia é o facto de estar a acontecer no país mais analfabeto do mundo. Poucos países são mais exigentes em termos de perícia e educação. No entanto, a Índia tem mais crianças que não vão à escola do que qualquer outro país – com uma margem gigantesca. As pessoas que tentam apontar as razões por trás do boom das TI indianas identificam vários factores possíveis.

Índia matemática

Antes de mais, há a possibilidade de os indianos terem simplesmente um talento natural para os números. Existe uma antiga tradição de excelência em matemática na Índia que data de há 4500 anos, desde o tempo da civilização do Vale do Indo. O povo do Vale não poderia ter construído as cidades sem ter, no mínimo, conhecimentos de geometria simples. Ainda mais importante, usaram um sistema de pesos e medidas baseado numa espécie de sistema decimal – e o sistema decimal de números, pesos e medidas que agora tomamos como garantido foi quase de certeza uma antiga criação indiana difundida pelo mundo árabe há mais de mil anos.

De facto, muitos académicos defendem que a matemática é a única grande contribuição indiana para o mundo da ciência. Curiosamente, o conceito de zero, tão fundamental para os 0 e 1 do código binário informático, também foi uma criação indiana. P. V. Indiresan, antigo director do instituto tecnológico de Chennai, defende que os indianos têm uma aptidão especial para identificar a interligação das coisas. Diz que os indianos «não procedem passo a passo como os ocidentais. Em vez disso, procuram inspiração através da lógica indutiva.»

O distintivo do conhecimento

Outras pessoas consideram que a questão não é esta e que a verdade por trás do boom das TI da Índia é mais pragmática. Há muito que a religião e cultura indianas enfatizam os efeitos degradantes do trabalho manual e, dentro do poderoso sistema de castas do país, a busca pelo conhecimento era uma forma para aqueles que não tinham fortuna herdada conseguirem ganhar a vida sem sujar as mãos. Elevava-os acima da restante multidão. A propensão dos indianos, até há muito pouco tempo, para exibirem nos seus cartões e placas de identificação qualquer qualificação educacional que se possa imaginar não era apenas vaidade; era uma marca de distinção essencial.

PERFIL: NARAYANA MURTHY

Na Índia, há dois conceitos hilariantes. Um chama-se MAFA – «Mistaking Articulation For Accomplishment». O segundo é que quando dizemos «Já foi tudo dito e feito», o que queremos dizer é «Tudo foi dito e nada foi feito».

Narayana Murthy, 17 de Julho de 2003

Co-fundador da primeira empresa global indiana de TI, a Infosys, Narayana Murthy é o guru dos negócios na Índia, bem como o líder da revolução electrónica. O papel de Murthy no boom económico indiano é tão central que muitas vezes se referem a ele, não só como o Bill Gates da Ásia, mas também como o Henry Ford da Índia. Tal como Ford acordou a classe média americana com o modelo Ford T, também Murthy autocapacitou muitos jovens indianos com a ideia de ganharem dinheiro, e a sua filosofia de «viver de modo simples e pensar de modo complexo» tem sido uma inspiração para toda a geração de indianos de classe média.

O que torna a história de Murthy tão inspiradora é que proveio de um ambiente modesto, era filho de um trabalhador de Estado sem grande importância. Quando tinha 16 anos, Murthy candidatou-se ao prestigiado Instituto Tecnológico de Kharagpur, mas teve de desistir porque o pai não podia pagar os custos de alojamento. Em vez do Instituto, foi para a faculdade local de Engenharia. Mas isso não revelou constituir um obstáculo. Em 1981, criou a Infosys com outros seis engenheiros informáticos seus colegas, e foi um sucesso espantoso. A Infosys foi a primeira empresa indiana a ser cotada no Nasdaq. Em 2002, valia mais de 40 mil milhões de dólares e tinha transformado mais de uma centena dos seus gestores em milionários. Murthy foi eleito Empreendedor Mundial em 2003 pela Ernst & Young e em Novembro de 2006 foi equiparado a figuras como Mahatma Gandhi e o Dalai Lama, na lista de heróis asiáticos da revista *Times*.

Murthy é famoso pelo seu ímpeto, pela sua abordagem clínica e exacta e pela sua obsessão pela informação. Mas o que realmente impressionou foi o facto de o seu negócio ter uma abordagem consciente. «Penso que o verdadeiro poder do dinheiro é o poder de o dar todo», diz ele. E tem feito valer a sua palavra em vários aspectos: vive num apartamento modesto apesar de ser muito rico e fala repetidamente das responsabilidades sociais das empresas.

«Se queremos resolver o problema da pobreza neste país, então temos de encorajar a criança dotada [a elite urbana privilegiada] a ajudar toda a família [da Índia].»

Em 2006, Murthy deixou a Infosys após 25 anos, mas continua a ser director do Banco da Reserva da Índia e está no conselho de administração de muitas instituições indianas importantes.

Este preconceito cultural foi reforçado pela ênfase na educação tecnológica de alto nível defendida pelo primeiro Primeiro-Ministro da Índia, Jawaharlal Nehru. Nehru tinha a visão de uma Índia industrializada, racional e científica, e começou a instaurar um sistema de educação que enfatizasse a tecnologia. Nos primeiros vinte anos de vida da Índia, a educação técnica começou a absorver uma parte cada vez maior do orçamento da educação, apesar do facto de apenas uma pequena percentagem da população beneficiar dela.

Os sete Institutos Indianos de Tecnologia (IITs) – em Mumbai, Deli, Kanpur, Kharagpur, Chennau, Guwahati e Roorkee – estão entre os melhores centros mundiais de educação científica – e a Índia tem dois mil estabelecimentos educacionais com licenciaturas em Informática. Todos os anos, as faculdades indianas licenciam mais de um milhão de estudantes em matérias relacionadas com Engenharia. Entretanto, 45 por cento das mulheres e 25 por cento dos homens indianos são completamente analfabetos. Ocasionalmente, o Governo brinca com a ideia de expandir mais a literacia e de colocar mais ênfase na educação profissional, mas nunca parece fazê-lo de corpo e alma.

O advento do boom das tecnologias de informação fez com que a criação das TI parecesse um acto extraordinariamente presciente. Contudo, agora parece que não foram suficientemente longe. A competição por lugares nas TI é intensa. Todos os anos, perto de um quarto de milhão de jovens indianos candidata-se a apenas duas mil vagas nessas empresas, portanto, por cada pessoa admitida, cem ou mais são rejeitadas. O desejo de ser bem sucedido na educação é algo extraordinário. Em 2003, Shatrunjay Verma, de 16 anos, teve as melhores notas de exames finais entre os dois milhões de estudantes de escolas estatais em Uttar Pradesh – mas para o conseguir teve de estudar à luz de um candeeiro de querosene, uma vez que a aldeia onde vive não tem electricidade, e fazer 20 quilómetros todos os dias para ir e voltar da escola. Sendo assim, não admira que milhares de escolas de ciências informáticas privadas estejam a abrir por toda a área rural.

BANGALORE: O SILICON VALLEY INDIANO?

A reputação de Bangalore como o Silicon Valley indiano teve início quando uma agência governamental do Estado de Karnataka, que foi encarregue de desenvolver a indústria de electrónica, comprou 135 hectares (335 acres) de terreno a 18 quilómetros (11 milhas) a sul de Bangalore. O plano era instalar um centro para empresas de alta tecnologia – um tipo especial de Estado industrial para o negócio do software e da electrónica. Chamou-se Cidade da Electrónica e foi um sucesso espectacular, até porque Bangalore já desfrutava

de uma concentração de trabalhadores alfabetizados e com cursos superiores, em parte devido à decisão governamental de ali situar o centro de defesa e investigação espacial na década de 60. Actualmente, Bangalore tornou-se o centro de TI da Índia.

Grandes multinacionais estrangeiras de TI, bem como as pequenas empresas informáticas da Índia, são atraídas às dúzias para Bangalore – e continuam a vir mais. Por exemplo, em 2006, a IBM anunciou um plano para investir 6 mil milhões de dólares nos próximos três anos. Bangalore cresceu, com uma população que aumentou de 2.8 milhões em 1990, para 6.5 milhões em 2007 – e calcula-se que em 2010 atinja os 8 milhões. Os preços das propriedades estão ao rubro em Bangalore, existem seis novos centros comerciais e uma imensidão de salões de exposição de carros de luxo.

Todavia, a infra-estrutura de Bangalore ainda está muito atrasada em relação à sua importância económica. Os visitantes da Cidade da Electrónica aterram no aeroporto de Bangalore e encontram caos, enquanto trabalhadores mal dispostos correm de um lado para o outro, uma multidão de passageiros tenta infrutiferamente receber alguma atenção. Está a ser construído um novo aeroporto perto de Devanahalli, mas entretanto os passageiros vão ter de sofrer muitos mais anos de atrasos e bagagem perdida. Quando saem do aeroporto e se dirigem pela estrada até Silicon Valley deparam com longos atrasos numa via obstruída devido aos buracos enormes, carros de bois, pó e trânsito de veículos e pessoas.

Entretanto, muitos dos habitantes da cidade – que não trabalham nas TI – começam a perguntar-se o que ganham com tudo isto. Alguns dos elementos mais conservadores consideram a vida de festas desregradas dos jovens empregados das TI um pouco além do aceitável – e, por essa razão, a polícia estabeleceu recentemente um recolher obrigatório às 23 horas para os bares com pista de dança. Outros estão preocupados com a perda da cultura local, uma vez que as ubíquas línguas hindi e inglês afugentam o idioma local, Karnataka. E, em Abril de 2006, as sedes da Microsoft chegaram mesmo a ser atacadas por uma multidão, quando as empresas de TI continuaram a trabalhar em vez de respeitarem um dia de luto não oficial em honra da estrela de cinema local mais famosa, Rajmukar, o «John Wayne da Índia».

Portanto, apesar do seu grande sucesso como um pólo das TI, o futuro de Bangalore ainda apresenta algumas nuvens.

O pote de ouro

Para além de dar estatuto, o maior incentivo para os indianos aderirem ao negócio das TI, e talvez a maior força condutora por trás do seu sucesso, é o dinheiro que podem ganhar. Quando os jovens indianos ouvem falar do sucesso desta e daquela empresa TI, o que querem ouvir é apenas quanto dinheiro ganharam. Os magnatas das TI indianas são fascinantes, não só porque são homens de negócios de sucesso, mas porque são fabulosamente ricos. A primeira coisa que querem saber quando dizemos que trabalhamos para uma empresa TI é quanto é estamos a ganhar, e os indianos não têm qualquer problema em falar sobre isso. No entanto, há muitos que nunca falam em termos de dinheiro. Os seus salários são medidos em termos de EMIs ou prestações mensais regulares. São deduções mensais feitas na conta bancária que possibilitam a compra de um carro, de uma arca congeladora ou até de um apartamento, antes de se ter realmente o dinheiro. O número de EMIs a que se tem direito depende do salário.

A magia das TI é que este género de riqueza parece ser acessível ao indiano comum. É por isso que as muitas histórias de novos-ricos são tão inspiradoras. No livro *Being Indian*, Pavan Varma descreve quanto esta inspiração foi importante para a pequena aldeia de Patwatoli em Bihar, o lar de uma comunidade pobre de tecelões de «Atrasados». Em 1991, um rapaz da aldeia, Jeetendra Prasad, foi para uma TII e depois, em 1997, deixou a Índia para se juntar à Pricewaterhouse-Coopers, em Nova Iorque. O sucesso de Jeetendra foi uma inspiração tão grande para as crianças pobres que teciam em Patwatoli que, em 2002, 22 rapazes desta aldeia minúscula arranjaram colocação nas TII – um feito espantoso para um local tão remoto. Não foi o simples facto de os rapazes estarem tão motivados que trabalharam afincadamente para conseguirem colocações, trabalhando durante o dia para ganharem dinheiro para livros e estudando toda a noite, mas o facto de a aldeia inteira os ter apoiado criando «centros de estudo» para os rapazes se prepararem. O pai de um dos rapazes explicou exactamente porque o faziam: «Munna (o seu filho) vai para a América depois de se qualificar nos exames e vai ganhar muito dinheiro.»

Uma das desvantagens dos rapazes de Patwatoli era o facto de não serem bons em Inglês. Tinham de se esforçar bastante para aprender a língua ao mesmo tempo que estudavam Informática. Mas é frequentemente o conhecimento que os indianos têm de inglês que tem desempenhado um papel importante no sucesso com as TI. Desde que falem a língua do mercado principal – a dos EUA –, estão numa situação muito melhor para dar apoio do que a China ou até o Japão.

Bangalorizado

Algumas pessoas gostavam de saber se a Índia está condenada a ficar no fundo da cadeia das TI, como «os fixes do software», enquanto todo o trabalho verdadeiramente criativo é feito em locais como os EUA e a Europa. Por outras palavras, será que os indianos são bem formados, obedientes e uma pequena peça de engrenagem que fala inglês? Como refere Nandan Nilekani, CEO da Infosys, os clientes «querem os seus problemas resolvidos por alguém que seja intimamente capaz de entender os seus desafios únicos».

Além disso, é verdade que uma das maiores histórias de sucesso da Índia tem sido o *outsourcing*. A variedade e o potencial do *outsourcing* na Índia estão a crescer minuto a minuto. É fácil imaginar o *outsourcing* apenas como uma instalação de *call centres* para responderem às perguntas dos clientes em assuntos que vão desde as contas do gás aos pagamentos de vendas a prestações, mas existe a funcionar um negócio de *outsourcing* muito mais sofisticado, não só nas TI, mas também em investimento bancário, engenharia aeronáutica, pesquisa farmacêutica e especialmente no processamento de conhecimento. Por exemplo, há cada vez mais jornais académicos a enviarem artigos para a Índia para serem editados. Empresas como a TNQ, em Chennai, que fazem a dactilografia e formatação, criam o estilo e editam uma variedade de jornais de sucesso, sabendo que têm uma riqueza de pós-graduados de topo para colaborarem no sentido de garantir qualidade – a um preço muito baixo comparado com os EUA e o Reino Unido. As pessoas nos escritórios nos EUA dizem que estão a ser «bangalorizadas», o que significa que o trabalho simplesmente se mudou para a Índia sem nós, o que está a acontecer cada vez mais. Um relatório de 2007 da McKinsey & Co. previu que a indústria de *outsourcing* indiana vai crescer quase um terço no ano 2006/07 e vai continuar a crescer até mais de 25 por cento ao ano até chegar aos 60 mil milhões de dólares em exportações em 2010.

Contudo, existem dois aspectos que podem impedir a Índia de atingir este objectivo. A primeira é a falta de pessoas qualificadas. Apesar da vasta quantidade de licenciados, a maior parte dos qualificados já arranjou emprego e menos de um terço dos quatrocentos mil indianos que se licenciam todos os anos nos institutos técnicos do país têm as qualificações certas. A fonte de talento está a secar até à última gota e algumas pessoas pensam que a Índia vai ter necessidade de formar mais meio milhão de licenciados especializados se quiser manter a sua expansão no negócio de *outsourcing*. Na verdade, a pressão é tal que o segundo obstáculo ao progresso da Índia é que ela própria pode ser «bangalorizada». A Infosys, a Wipro e a TCS construíram todas *campus* de *outsourcing* na China e recrutam activamente chineses para trabalharem para si no norte da Ásia. A Infosys recruta centenas de licenciados nos EUA, enquanto a Wipro está a instalar um *campus* no Vietname e a efectuar algum do seu trabalho em *outsourcing* na Roménia.

Todavia, estes problemas parecem uma gota no oceano comparando com o sucesso espantoso do negócio. Em apenas quinze anos, as TI têm feito muito para colocar a Índia no mapa e para trazer não só muita riqueza necessária como também um verdadeiro sentido de objectivo e de motivação, que têm sido bem maiores do que alguém poderia imaginar. Parece que há coisas ainda melhores para vir.

10. A ÍNDIA ENFRENTA O FUTURO

«A Índia é uma ideia cujo tempo chegou.»
Ashwani Kumar, Ministro indiano da Indústria e do Comércio

Ao longo dos últimos quarenta anos, a Índia tem passado por alguns tempos terríveis. Dois dos seus líderes foram assassinados. O país esteve por duas vezes à beira da bancarrota e, por uma vez, um vasto número de pessoas esteve no limiar da fome. Ainda hoje, centenas de milhões de indianos permanecem num estado de pobreza desesperante. O país esteve diversas vezes à beira da guerra. Uma vez esteve à beira de uma guerra nuclear que podia ter destruído o país. Tem sido repetidamente destroçado por motins cuja selvajaria é difícil descrever. E mais: nenhuma das circunstâncias que causaram estes problemas desapareceu. Todavia, apesar de todas estas dificuldades, a Índia tem muitas razões para encarar o futuro com optimismo e confiança.

Antes de mais, desenvolveu-se numa democracia madura, de longe a maior do mundo. As suas políticas são divididas pelo facciosismo. O governo nacional foi formado por uma coligação de mais de doze partidos, que estão juntos principalmente por pequenos interesses próprios. Muitos dos seus governos locais são levados ao poder por grupos que incitam um grupo de rivais contra outro. A corrupção abunda em cada esquina. Homens e mulheres com antecedentes criminais de conhecimento público são eleitos para os cargos mais elevados. Partidos no poder proclamam ódio racial. No entanto, apesar de tudo isto, o processo democrático funciona.

As pessoas votam regularmente em eleições livres e justas e a maioria dos pobres está a começar a aperceber-se do seu poder para levar a cabo verdadeiras mudanças através das urnas de voto. A grande diversidade de pontos de vista significa que nenhuma visão extrema consegue aguentar-se por muito tempo. Quando parecia que o país talvez pudesse seguir o caminho do fundamentalismo hindu, com a eleição do PBJ para o poder a longo prazo, impediram o avanço expulsando-os em grande estilo nas eleições de 2004. Todo o tipo de forças estão a borbulhar para ameaçar a posição do partido congressista, desde os partidos que representam os Dalits e outros grupos de «Atrasados» a grupos extremistas religiosos. Mas isto pode significar que a complacência, que tem sido uma forte característica da elite dominante indiana, pode finalmente ser agitada e abalada. Pode até significar que uma ampla quantidade de indianos, genuinamente empenhada em resolver os problemas da Índia, entre para o governo.

PROSPERIDADE E JUVENTUDE

Em segundo lugar, o processo de liberalização económica que abriu as portas da Índia ao comércio estrangeiro em 1991 parece ter feito maravilhas. A economia está a crescer rapidamente – trazendo para o país, por semana, mais de mil milhões de dólares. Cidades como Mumbai, Deli e Bangalore têm vindo a transformar-se através da riqueza que entra. Milhares de indianos tornaram-se milionários. Outros milhões deram por si com um tipo de rendimento disponível para comprar bens de consumo que em tempos estava reservado ao Ocidente. Além disso, o crescimento da economia está a proporcionar oportunidades para que aqueles que estão mesmo no fundo possam ultrapassar barreiras de castas, não apenas em termos de rendimento e oportunidades de carreira, mas também muitas vezes sociais.

Terceiro, a Índia é um país jovem com a maioria da sua enorme população abaixo dos 25 anos. No Ocidente, uma crescente proporção da riqueza de cada país terá de ser gasta em cuidados para os idosos. Até na China, devido à política de filho único, uma larga parcela da população é idosa e deixa um fardo sobre o resto – ou é menos activa economicamente. Na Índia, pelo contrário, a proporção de pessoas jovens na população está realmente a aumentar. Os jovens indianos não fornecem simplesmente uma força laboral mais energética. São capazes de modificar a Índia, fundamentalmente porque crescem com novas ideias e novas atitudes. Ao contrário de gerações anteriores de indianos, a geração actual dos mais novos tem crescido a observar atentamente os valores ocidentais – com as suas vantagens e desvantagens – e, à medida que envelhecem e escalam as camadas da sociedade, é inevitável que algumas das tradições e preconceitos indianos mais antigos desapareçam.

A praga da pobreza

O país está a enfrentar alguns desafios monumentais – o maior de todos é a pobreza extrema de tantas pessoas. Enquanto o boom económico tem sido elogiado, correctamente, como um sinal de que a Índia está a caminho de tempos melhores, o simples facto é que a vida de centenas de milhões de indianos podia realmente ser pior. O mais complacente no governo indiano salienta que o efeito em cadeia está a funcionar. Segundo todos os indicadores – literacia, Índice de Desenvolvimento Humano, média de rendimentos – a Índia está a melhorar 1 por cento ao ano. Portanto, as coisas estão a ficar melhores. Porém, 1 por cento de muito pouco não é muito e um indiano a ganhar 1 dólar por dia, o que acontece a milhões, teria de esperar um século antes de ganhar dois dólares. Para os indianos que estão no fundo da escala, a ajuda tem de chegar mais cedo e não mais tarde.

Todavia, não há dúvida de que pelo menos algumas pessoas no actual governo têm plena consciência disto, por isso, o governo de Manmohan Singh introduziu alguns dos projectos mais ambiciosos para lidar com a pobreza rural que afecta a Índia há algum tempo. Além do enorme pacote de emergência para proporcionar cem dias de trabalho garantido aos mais pobres, elevadas somas vão ser gastas no melhoramento de infra-estruturas e da educação. Mas a escala da ambição não garante o seu sucesso e, na Índia, amplos projectos governamentais, no passado, tinham por hábito desiludir. Agora, há um sentido de que as coisas estão a mudar e de que alguns destes projectos podem realmente ter impacto.

No entanto, há problemas fundamentais com a economia rural, que a esmola do governo e os esquemas de trabalho podem não resolver. Por si só, de momento, a agricultura não parece ter capacidade para sustentar a enorme população rural indiana e as pessoas vão precisar de outros trabalhos. Presentemente, há muito poucos empregos nas aldeias, e é por isso que tantos aldeãos estão a migrar para as cidades. Mas mesmo os que para lá vão descobrem muitas vezes que não há empregos suficientes – certamente não há empregos bem pagos – e muitos acabam por dormir ao relento ou em vastos bairros de lata degradados, que são uma característica tão forte das cidades como Mumbai e Deli.

Contudo, se falarmos com muitos dos jovens indianos, estes vão dizer que a Índia está a mudar, e para melhor. Apesar de toda a pobreza. Apesar da degradação ambiental. Apesar das rivalidades entre castas. Apesar das tensões e sofrimento provocados pelas tendências nacionalistas e religiosas. A Índia está a começar a florescer. As cidades indianas estão a transformar-se em locais energéticos e vibrantes para viver. A cultura e as ideias indianas estão a começar a espalhar-se por todo o mundo – e não são as ideias antigas que trouxeram aqui os *hippies* nos anos 60, mas sim novas ideias de uma geração mais jovem de indianos, que não se sente apenas optimista, mas também entusiasmada em relação ao futuro.

➔ História
C. 3000-1700 a. C.
O despontar de Harappa

Há cerca de cinco mil anos aconteceu algo realmente notável num local que agora é o Paquistão. Surgiu uma sociedade avançada, que construiu cidades de sofisticação incomparável com qualquer outro lugar do antigo mundo e que deram correctamente à Índia o direito merecido de ser um dos lugares do nascimento da civilização. Existiu durante mil e trezentos anos e depois desapareceu abruptamente.

Esta civilização, agora conhecida como Harappa, despertou primeiro a atenção dos eruditos no Ocidente quando Sir Mortimer Wheeler, um arqueólogo famoso, começou a procurar os vestígios da cidade de Mohenjo Daro, perto de Karachi, nos anos 20 do século XX. Esse local, por si só, parece suficientemente notável. Mas os sinais desta cultura têm sido encontrados ao longo de uma extensa área.

A primeira, a evidência de uma cidade semelhante, foi descoberta em Harappa, a 600 quilómetros de Mohenjo Daro, perto de Lahore. Agora, estão a ser descobertos indícios de locais semelhantes ainda mais longe, revelando uma uniformidade de cultura numa área bastante maior do que o Antigo Egipto ou qualquer outra das civilizações contemporâneas.

Os vestígios de Harappa foram encontrados tão longe como a fronteira iraniana do Baluquistão, na Índia, em Gujarate e em outros sítios, e recentemente até na fronteira do norte afegão com a Rússia, em Shortughai, no rio Oxus.

A ideia de que este era um império poderoso e com uma administração central foi posta em causa por estas descobertas, pois não existem palácios enormes ou instalações militares em nenhum destes locais que sugiram que este tenha sido um império estratificado e de conquista.

Na verdade, a totalidade da civilização de Harappa permanece um enigma. Deixou para trás alguns textos em placas de casas, que se acredita terem sido utilizadas para fins comerciais, mas as inscrições ainda têm de ser decifradas e, ao contrário do Antigo Egipto e da Mesopotâmia, Harappa quase não deixou vestígios do seu povo. O único artefacto humano antigo é apenas uma estatueta de bronze de uma adolescente nua.

De facto, o povo de Harappa extinguiu-se no tempo deixando para trás muito pouco além dos materiais das casas. E, mesmo aqui, existem dúvidas consideráveis acerca do tipo de construções que utilizavam, com excepção, talvez, dos vastos celeiros. Um facto evidente é que o fornecimento de água e o sistema de esgotos eram muito evoluídos para aquele tempo. Por exemplo, Mohenjo Daro tinha a sua própria e grande piscina, instalações sanitárias e esgotos. Sabemos que eram comerciantes e as placas harappas foram encontradas em Ur mostrando que comercializavam até à Mesopotâmia. Mas a sua cultura e religião permanecem quase em branco. Os harappas duraram mil e trezentos ou mil e quatrocentos anos até todos os vestígios finalmente terem desaparecido debaixo da areia e da lama no ano de 1700 a. C. Mas o motivo pelo qual desapareceram é também um enigma. A visão tradicional era que tinham sido conquistados pelos povos arianos que tinham entrado pelo Norte com os seus cavalos. Mas os eruditos não estão convencidos com esta ideia e descobertas recentes sugerem que a mudança de clima pode ter sido um factor. Há provas arqueológicas de cidades e aldeias que foram abandonadas, mas pouco mais.

1700-900 a. C.
Os Arianos e o Período Védico

À medida que os harappas caíram no esquecimento, chegou o período em que a cultura indiana despontou. Emergiram nesta altura, não só a língua sânscrita, como ainda o importante papel dos sacerdotes e o sistema de castas. Mas também um volume extraordinário de literatura antiga, com os grandes épicos de *Mahabharata* e de *Ramayana* e o conjunto de poemas religiosos e de hinos conhecidos como *Vedas*.

Os *Vedas* tornaram-se as primeiras escrituras do hinduísmo e este período ficou conhecido, depois destes textos sagrados, como o período védico, mas ninguém sabe realmente quem os escreveu. Os textos referem-se a um povo superior, com um tipo nobre de pele clara, como os *arya*, e a um povo inferior de pele escura ou *dasa*. Mas a palavra *arya* é uma descrição e não um nome racial. Depois, a colonização britânica da Índia deu a estes termos uma reviravolta muito interessante.

Em 1785, o linguista britânico Sir William Jones sublinhou a semelhança entre muitas palavras sânscritas e as palavras de línguas descendentes do latim, incluindo o inglês. Os eruditos aperceberam-se rapidamente de que o sânscrito e estas línguas europeias devem ser todas originárias de uma língua mãe, a que chamavam no início indo-europeia e depois ariana quando se deram conta de que os persas se chamavam a si próprios *arya* ou *Aryiana* (agora o nome Irão), aparentemente provando a existência de arianos como um povo e não apenas uma descrição dos hinos védicos.

Os eruditos procuraram uma terra natal ariana, de onde os arianos se tinham espalhado e transmitido a sua língua à Europa e à Índia – e concordaram nas estepes do sul da Rússia. Rapidamente surgiu uma imagem dos arianos como cavaleiros exímios que arrasaram e conquistaram o Médio Oriente – e a Índia. Os britânicos vitorianos aceitaram completamente esta ideia. Criaram esta imagem de um povo alto, de pele clara, chegando do Ocidente e trazendo para a Índia tudo o que é requintado e nobre na história indiana – e os britânicos, claro, eram os herdeiros naturais dos arianos.

Depois, nos anos 20 e 30, a ideia dos nobres conquistadores arianos começou a ser difícil de aceitar. Primeiro vieram as descobertas das cidades de Harappa, que demonstraram ter existido uma civilização sofisticada na Índia muito antes dos arianos. Depois, toda a ideia se tornou menos aceitável quando foi adoptada de um modo tão desfigurado pelos nazis. Em pouco tempo, tudo o que ficou foi a ideia de que os arianos expulsaram os harappa da região com a sua natureza marcial e perícia equestre. E depois até isso desapareceu, com a descoberta de que os harappas se haviam extinguiddo vários séculos antes da chegada dos arianos.

O que parece provável é que por volta de 1500 a. C. tenha havido uma onda de invasões ou migrações para a Índia e que os invasores ou migrantes se tenham espalhado gradualmente pelo Oriente e pelo Sul ao longo dos séculos. É altamente provável que estes invasores fossem cavaleiros, porque a literatura védica está repleta de termos equestres – e as palavras para as actividades agrícolas, como lavrar, são todas importadas de outra língua. Na sua história da Índia, John Keay descreve os arianos como *cowboys* na verdadeira acepção da palavra – com o seu estilo selvagem e dependentes do gado.

Ao longo dos séculos, à medida que os arianos se espalharam pela Índia, foram assimilados pelas pessoas que já lá viviam e também as modificaram. Mudaram de cavaleiros para agricultores, cultivando uma série de colheitas, incluindo o arroz. Quando chegaram, sabiam muito pouco de metais, com a excepção do ouro, do cobre e do bronze, mas, como testemunha a literatura védica, aprenderam as utilidades do ferro, aprenderam a limpar as florestas para as cultivarem e se estabelecerem, e tudo se tornou muito mais fácil com as ferramentas de ferro. Ao mesmo tempo, a estratificação da sociedade descrita na literatura, com a criação de um sacerdócio elitista, estabeleceu um padrão que ainda hoje se mantém.

c. 600 a. C. – 320 d. C.
Reinos e Impérios

Por volta do século VII a. C., a sociedade indiana estava tão enraizada que os clãs começaram a delimitar territórios permanentes para si, conhecidos como *mahajanapadas*. Alguns, como Kuru e Panchal, tornaram-se reinos, enquanto outros eram mais republicanos por natureza. Quando o comércio cresceu e as cidades se expandiram, os governantes ficaram ainda mais ansiosos por proteger os seus interesses e tinham o poder para fazê-lo. No século V a. C., quatro reinos poderosos começaram a dominar os outros e depois um deles, Magadha, acabou por chegar completamente ao topo.

Foi logo depois, em 321 a. C., que Alexandre, o *Grande*, fez uma extraordinária e condenada incursão à Índia.

Depois de ter conquistado o povo de Punjabe, foi finalmente persuadido pelos seus homens, no rio Beas, perto do que agora é Lahore, a voltar para trás. No entanto, se Alexandre falhou e o seu controlo na Índia rapidamente entrou em colapso, dizem que as suas façanhas inspiraram o primeiro governador indiano, Chandragupta. Reza a história que Chandragupta foi preparado para ser rei como resposta da Índia a Maquiavel, o astuto e deformado conselheiro Kautilya. Kautilya ficou conhecido com os escritos da versão indiana de *O Príncipe* de Maquiavel, o *Arthashastra*, um guia simples do poder da política, baseado em situações e necessidades práticas em vez de ideias e princípios morais (*realpolitik*), mas as hipóteses são de que tenha sido apenas um dos que contribuíram para um texto compilado muito mais tarde.

Seja qual for a verdade sobre Kautilya, não há dúvida de que o aluno superou o mestre. Chandragupta é muitas vezes descrito como o Júlio César da Índia, embora ele próprio preferisse ser comparado a Alexandre. Com um dos maiores exércitos que o mundo alguma vez vira, com meio milhão de homens, Chandragupta expulsou os gregos tanto do Punjabe como do Afeganistão e criou os princípios do Império Maurya que iria sujeitar quase todo o subcontinente indiano, pela primeira e última vez, a um único governador, o seu neto Asoka.

É compreensível que Asoka tenha sido considerado o maior governador indiano. Em 260 a. C., depois ter completado a sua conquista da Índia em Kalinga (Orissa), ficou horrorizado com o derramamento de sangue e sofrimento que causou e converteu-se ao Budismo. Uma das razões por que sabemos tanto acerca de Asoka é por ter deixado para trás inscrições em pedra por toda a Índia, em pilares de pedra gigantescos e superfícies rochosas. Ninguém conseguiu entender os escritos até 1837, altura em que o orientalista britânico, James Prinsep, fez uma descoberta, clarificando que estes «Éditos de Asoka», como ficaram conhecidos, diziam todos praticamente o mesmo. De certa forma, eram múltiplas cópias dos Dez Mandamentos, mas expondo valores budistas da humanidade, a não violência (*ahimsa*) e a regeneração moral. Acima de tudo, falavam do *dharma*, a necessidade de seguir um caminho de honestidade pela vida fora.

Ninguém sabe se Asoka seguiu os seus ideais, mas não houve mais guerras de conquista na sua era e ajudou a espalhar o Budismo pela Ásia. A sua governação é certamente recordada como a Idade de Ouro, quando a vida melhorou em pequenas coisas, como plantar árvores de fruto ao longo das estradas para os viajantes, escavar poços e construir albergues. Até substituiu a caça real anual por uma peregrinação de integridade (*dharma yatra*) que o levou a viajar pelo impé-

rio. No entanto, após a morte de Asoka, o Império Mauria começou gradualmente a desmoronar-se.

Durante os quinhentos anos seguintes chegaram à Índia, como monções, vagas e vagas de invasões vindas do Norte e da China. Contudo, isto não impediu a economia indiana de prosperar. O país era um foco do comércio mundial, com ligações comerciais que se estendiam China adentro, pela parte oriental, indo até Roma, no lado ocidental, tal como prova a abundância de moedas romanas encontradas na Índia.

c. 320-1050 d. C.
A Idade Clássica

Cerca de 320 d. C., 640 anos depois de Chandragupta ter criado o primeiro grande império, o Império Mauria, em 320 a. C., outro Chandragupta começou a criar o segundo, o Império Gupta. Para criar confusão, este segundo Chandragupta chama-se Chandragupta I. É claro que é o primeiro Chandra do Império Gupta e foi seguido pelo filho Samudra-Gupta e pelo neto Samudra-Gupta II. Sob cada um destes três governantes, o império expandiu-se até que estendeu a sua influência sobre grande parte do subcontinente, à excepção do Sudoeste.

A era Gupta é por vezes chamada Idade Clássica Indiana e testemu-

nhou um extraordinário florescer das artes, da ciência e da filosofia. Foi provavelmente nesta altura que o grande dramaturgo Kalidasa estava a escrever dramas como *Shakantula*. Pensa-se que Kalidasa tenha feito parte da Corte de Chandragupta II. Também foi a era em que foram pintados esplendorosos frescos, como os do local do Património Mundial em Ajanta, Maharashtra [ver página 198]. Contudo, o monumento mais impressionante da época talvez fosse a criação do modelo clássico dos templos hindus, mais notório em Deogarh, em Jharkhand.

Neste período, os cientistas e matemáticos indianos estavam provavelmente muito mais evoluídos do que os ocidentais. O conceito do zero e o sistema decimal surgiram na Índia e por esta altura e neste território estavam bastante desenvolvidos, chegando ao mundo árabe somente séculos mais tarde. Curiosamente, o grande astrónomo Aryabhata defendeu, nesta época, que a Terra rodava sobre o seu eixo e se deslocava à volta do Sol – algo de que o Ocidente só se apercebeu passados uns longos mil anos, quando Copérnico deduziu a mesma teoria, no século XVI.

No século VI, os hunos brancos começaram a ir para a Índia, vindos da Ásia Central e o Império Gupta começou gradualmente a desintegrar-se numa mistura de reinos que lutavam continuamente pelo poder. Entretanto, o comércio continuou e,

no século XII, as cidades do Sudoeste abrigavam grandes comunidades de judeus e mercadores árabes que faziam negócio desde o Médio Oriente até ao Mediterrâneo.

c. 1050-1707 d. C
Muçulmanos, Mongóis e Mogóis

Obviamente, os mercadores árabes em Kerala trouxeram o Islamismo para a Índia pouco tempo depois de época de Maomé, mas foi no século XI que o Islamismo começou verdadeiramente a ter impacto na Índia, quando os muçulmanos começaram a lançar ataque após ataque sobre o Noroeste. Saídos dos desfiladeiros das montanhas, abatiam-se repetidamente como uma tempestade feroz sobre o Punjabe. Na altura, a *bête noire* da Índia era Mahmud de Ganzhi. Um homem poderoso com talento para a estratégia, Mahmud era tão feio que ele próprio o reconhecia. Certa vez, ao olhar-se ao espelho, queixou-se: «o aspecto de um rei deveria iluminar os olhos de quem o contempla, mas a natureza foi tão caprichosa comigo que a minha aparência parece o retrato da desventura». Independentemente do aspecto, aterrorizava aqueles que tinham a infelicidade de se cruzar no seu caminho e,

todos os anos, logo após a monção, durante dezasseis anos, realizou sangrentos ataques de surpresa sobre a Índia.

Contudo, os ataques muçulmanos acabaram por abrandar, o que provou ser apenas a calmaria que antecede a tempestade. Em 1175, um atacante ainda mais poderoso, Mohammad de Ghor, atravessou as planícies do Ganges até Bihar, destruindo os templos budistas à sua passagem. Quando Mohammad morreu, em 1206, um dos seus generais, Qutbud-din, tornou-se sultão de Deli, governando sobre quase toda a parte norte da Índia. O Sultanato de Deli foi o primeiro dos grandes poderes muçulmanos na Índia e durou três séculos. Durante esta altura, muitos indianos converteram-se ao Islamismo, especialmente no Punjabe e em Bengala. Os dirigentes muçulmanos estavam longe de ser tolerantes, mas, ao contrário do que os nacionalistas hindus afirmam, não há provas de que tenha havido conversões em massa impostas pela força. Mesmo no Sul hindu, alguns hindus converteram-se voluntariamente ao Islamismo.

Todavia, os muçulmanos foram senhores da parte norte da Índia até 1398, quando as hordas mongóis dirigidas por Tamerlão varreram a Índia, vindas do Oriente, saqueando Deli e massacrando os seus habitantes. Um historiador disse que a razão para os exércitos de Tamerlão se moverem tão depressa era a ansiedade por escapar ao fedor das enormes pilhas de cadáveres que iam deixando para trás. O poder do Sultanato foi quebrado pelo ataque de Tamerlão, e ficou reduzido virtualmente a nada, deixando um caos de reinos a competir durante mais de um século. Então, em 1526, um dirigente afegão de Cabul, chamado Babur, tomou o poder. Babur era descendente de Tamerlão, e a dinastia que fundou chama-se Império Mogol, ou Mongol.

Babur, conhecido por o Tigre, era uma figura intrigante, um aventureiro nato que escreveu uma autobiografia directa impressionantemente chamada *Babur-nama*, descrita um dia como estando «entre as obras mais arrebatadoras e românticas da literatura de todos os tempos» (D. Ross, *Cambridge History of India*). Quando conquistou o Império, mostrou-se um governante esclarecido, que adorava poesia e jardinagem, escreveu dissertações sobre os povos hindus que conquistou e estudou a vida selvagem local.

O Império Mogol começou quando Babur, com a sua artilharia superior, derrotou um exército muito maior, o dos Lodis, em Panipat, perto de Deli e assim obteve o controlo sobre quase toda a parte norte da Índia. O filho de Babur, Humayun, mostrou-se menos eficaz enquanto governante, mas o neto, Akbar, é visto por algumas pessoas como o maior líder Mughal. Ao contrário do avô, Akbar, o Grande, era um guerreiro e não um erudito e as suas conquistas fizeram com que os limites do Sul do Império avançassem até ao rio Krishna. Akbar mostrou-se um líder tolerante, trouxe pessoas de vários credos para a Corte e até casou com princesas hindus. Apesar da falta de instrução, tinha uma sabedoria natural e as suas Cortes foram enriquecidas pelas artes e letras da Pérsia.

Em 1605, Abkar foi sucedido primeiro pelo filho, Jahangir, e depois pelo neto, Shahjahan, famoso por grandes edifícios mogóis construídos nesta altura, como o Taj Mahal, a Mesquita de Pérola e o Forte Vermelho. No entanto, o custo de todas estas construções, juntamente com as campanhas militares de Shahjahan, no Sul, exigiram demasiado das finanças do Império e, em 1658, o próprio filho, Aurangzeb, aprisionou-o e proclamou-se imperador.

Contudo, a intolerância religiosa de Aurangzeb provou ser um fardo ainda maior para o povo do que os gastos de Shahjahan, e foi nesta altura que surgiu Shivagi, o lendário lutador hindu da resistência. O Império Mogol começou a desintegrar-se, ao mesmo tempo que os europeus começavam a fazer sentir a sua presença.

1610-1858
A chegada dos britânicos

Os britânicos estabeleceram presença na Índia em 1610, apenas cinco anos após a morte de Abkar. Os portugueses já tinham estado no país durante cem anos e os holandeses e os franceses também estavam interessados. Mas com a ajuda da Marinha Britânica, a Companhia das Índias Orientais expulsou os portugueses para estabelecer a sua base em Surat. Mais tarde, os britânicos também expulsaram os franceses da Índia.

Um dos grandes mistérios da História é saber como os britânicos, com apenas alguns barcos e uns quantos soldados, conseguiram apoderar-se, a meio mundo de distância, de um país gigantesco e há muito estabelecido, com mais de trezentos milhões de pessoas. Diz-se muitas vezes que simplesmente se aproveitaram de um vazio de poder criado pelo declínio do Império Mogol. No entanto, como John Keay afirma em *India: a History*, o vazio de poder, se é que existiu algum, pode ter sido uma fabricação da Companhia das Índias Orientais. Aliás, de qualquer modo, esse vazio provavelmente nunca existiu, uma vez que Estados como Hyderabad, Bengala e Pune estavam todos a prosperar. Keay sugere que a chave pode ter sido a lealdade tenaz dos britânicos uns para com os outros, o que garantiu que se apresentassem sempre com uma frente unida perante os inimigos divididos. Os britânicos estenderam gradualmente o seu domínio através de acordos e tratados com príncipes locais e começaram a desempenhar um papel cada vez mais importante nos assuntos locais até que, quase sem se aperceberem, os indianos haviam assinado o delegar de todo o seu poder.

É claro que existiram batalhas. Em 1756, após um confronto, alguns oficiais britânicos foram presos pelo Nawab de Bengala, Siraj ud-Dawlah, que os meteu numa pequena masmorra conhecida como o Buraco Negro de Calcutá, e onde alguns deles acabaram por morrer. Em resposta, Robert Clive dirigiu um exército para Norte de Madrasta (Chennai). Lutou contra o Nawab e, com a conivência do comandante Nawab, alcançou uma vitória em Plassey. Mais tarde, os britânicos encararam este facto como uma vitória decisiva, mas no Império Mogol, a Norte de Deli, as pessoas quase nem se aperceberam. Nesse ano, Deli sofrera uma derrota muito pior, não às mãos dos britânicos, mas sim de outro ataque aterrador por parte dos afegãos dirigidos por Ahmad Shah Abdali. Abdali saqueou Deli, pilhou os habitantes e sujeitou as mulheres à «poluição». Sendo assim, não admira que mais tarde, quando Clive foi levado perante um comité parlamentar para justificar o seu comportamento, em Calcutá, tenha dito que foi sempre muito comedido:

Um grande príncipe estava dependente da minha vontade;

uma cidade opulenta jazia à minha mercê; os banqueiros mais ricos licitavam uns contra os outros pelos meus sorrisos; andei dentro de cofres que foram escancarados só e apenas para mim, enchi ambos os lados com ouro e diamantes.
Senhor Presidente, neste momento, até eu estou espantado com a minha moderação!

Os britânicos estenderam gradualmente o seu controlo por toda a Índia, através de tratados, acordos e conquistas militares – nas quais uma grande parte das forças eram indianas. Demorou muito tempo. Foi em 1856, exactamente cem anos após a vitória de Plassey, que os britânicos finalmente tomaram Oudh, no Norte, a última peça mais importante do puzzle.

Por esta altura, os britânicos haviam adoptado os hábitos anteriores dos empregados da Companhia das Índias Orientais, que consistia em «tornarem-se» nativos, vestindo roupas indianas e aprendendo a falar hindustâni. Contudo, à medida que o tempo passava, os britânicos tornavam-se cada vez menos amáveis e flexíveis. Também começaram a não ter qualquer consideração pela sensibilidade indiana. Como por ironia, exactamente na altura em que os britânicos obtiveram o controlo absoluto sobre a Índia, também os perigos deste desdém começaram a borbulhar.

Em 1857, espalhou-se o rumor por entre os *sipaios* (soldados indianos ao serviço dos britânicos) de que as armas eram oleadas com gordura de vaca, animal sagrado para os hindus, e de porco, animal impuro para os islâmicos. Em 1858, os *sipaios* amotinaram-se e em pouco tempo o motim transformou-se numa rebelião total contra os britânicos. Com a ajuda dos Sikhs, estes conseguiram finalmente pôr termo ao problema, mas serviu-lhes como chamada de alerta. No ano seguinte, o controlo da Índia foi retirado das mãos da Companhia das Índias Orientais e os britânicos começaram a governar o país directamente. Depois de terem sempre afirmado que apenas desejavam comercializar na Índia, os britânicos mostraram por fim o seu poder imperial.

1858-1915
Os últimos dias do Raj

Os britânicos trouxeram um sistema de organização notável para o governo da Índia, instaurando serviços civis e redes de governo local dirigidos de modo eficiente e estabelecendo universidades em Bombaim, Madrasta e Calcutá, para instruir os indianos segundo os padrões exigidos para trabalharem lado a lado. Estes indianos, com formação britânica, não só começaram a participar cada vez mais nos corpos governamentais a nível provincial e local, **como obtiveram também uma formação em teoria política. À medida que estudavam a democracia e o capitalismo ocidentais e aprendiam as ideias de filósofos como John Stuart Mill, estes indianos instruídos começaram a aperceber-se de que os seus direitos lhes estavam a ser negados.**

A insatisfação crescente entre a camada intelectual da Índia, formada segundo o modelo inglês, ganhou vida em 1885 com a criação do Congresso Nacional Indiano. Inicialmente, o Congresso não tinha o intuito de lutar pela independência indiana. O seu objectivo era simplesmente conseguir que os indianos tirassem mais proveito dos acordos com os britânicos, especialmente em termos de comércio. O argumento era de que a Grã-Bretanha estava a drenar a riqueza da Índia através de leis de comércio injustas. Contudo, começou gradualmente a emergir um movimento nacionalista, impaciente com o ritmo lento das melhorias. No virar do século XX, mais nacionalistas extremistas, como Bal Gangadhar Tilak, haviam começado a desafiar a moderação do Congresso.

No entanto, curiosamente, a verdadeira tensão surgiu quando os britânicos tentaram dividir hindus e muçulmanos com a partição de Bengala em Bengala Oriental e Assam (de maioria muçulmana) e Bengala Ocidental, Bihar e Orissa (de maioria hindu). Os donos de terras hindus, em Bengala Oriental, que haviam explorado os camponeses muçulmanos, de repente viram o seu poder e os seus rendimentos em perigo. Ajudaram a fomentar um movimento de protesto contra os britânicos, que incluiu um boicote e uma política *swadeshi* (compre indiano) contra as mercadorias britânicas, especialmente os têxteis.

A partição de Bengala alarmou a população muçulmana, que começou a preocupar-se com a crescente maré de nacionalismo indiano, receando que, enquanto minoria, estariam muito pior numa Índia independente dominada por hindus do que sob a alçada britânica. Em 1906, os líderes muçulmanos reuniram-se para formar a Liga Muçulmana, de forma a lutarem por uma melhor representação muçulmana no governo e, na realidade, contra a independência dos britânicos.

1915-1946
Gandhi

Foi neste cenário dividido que Mohandas Gandhi entrou, em 1915, quando regressou da África do Sul após a sua luta pelos direitos civis daquele país. Gandhi apelou à união entre as duas metades da comunidade e, em 1916, forjou um pacto com Mohammed Ali Jinnah, o líder da Liga Muçulmana. Também se envolveu em vários movimentos de protesto não violentos, que lhe começaram a dar o tipo de autoridade moral que lhe iria atribuir o título de *mahatma* («grande alma»).

Os britânicos supuseram que podiam responder às exigências do Congresso, sobre *swaraj* (autogovernação) e outras aspirações indianas, ao alargar gradualmente a participação no governo. Talvez até estivessem certos, mas a chegada da Primeira Guerra Mundial mudara tudo. Quando a guerra rebentou, o apoio que os indianos deram à Grã--Bretanha foi surpreendente. Alistaram-se mais de dois milhões de indianos para lutarem na distante Flandres e na Mesopotâmia. Como disse o autor John Buchan, «foi o desempenho da Índia que tomou o mundo de surpresa e fez estremecer todos os corações britânicos». O problema foi que os indianos ganharam consciência de que os britânicos não eram tão invencíveis como se supunha – e de que precisavam deles. Aperceberam-se de que, se os britânicos precisavam tanto deles, não havia nenhuma razão para que os indianos não pudessem ser capazes de cuidar dos seus próprios assuntos.

Após a guerra, os britânicos começaram a ampliar a participação indiana no governo, mas simultaneamente voltaram a impor restrições do tempo da guerra às liberdades civis. À medida que os líderes indianos começavam a dar voz ao seu descontentamento, Gandhi organizou uma série de acções de protesto não violentas, a que chamou *satyagraha* (que em sânscrito significa verdade e firmeza), como paragens no trabalho, em que hindus, sikhs e muçulmanos participaram em conjunto. Em 1919, quando as pessoas se juntaram para uma das reuniões de protesto em Amritsar, os soldados britânicos entraram em pânico e abriram fogo, matando perto de quatrocentas pessoas. A tragédia de Amritsar mostrou ser um ponto de viragem no apoio ao movimento de protesto.

Enquanto os britânicos tentavam expandir a democracia, o Congresso exigia independência total. As campanhas de protesto não violento de Gandhi ganharam bastante peso em 1930, quando lançou o Satyagraha do sal, em que milhares de indianos protestaram contra os impostos sobre o sal, marcharando até ao mar da Arábia para fazer sal a partir da água do mar. Dezenas de milhares foram presos por não pagarem impostos, incluindo Gandhi, mas por essa altura já era um herói na Índia. Os britânicos cederam e Gandhi foi chamado a Londres para negociar um acordo como representante do Congresso.

Como resultado dessas negociações, os britânicos concordaram com uma espécie de governos provinciais autónomos para a Índia. Quando as eleições para este novo sistema tiveram lugar, em 1937, o Congresso saiu vitorioso em grande parte da Índia, excepto nas províncias onde os muçulmanos estavam em maioria, e assim o partido assumiu o poder. Os protestos esmoreceram, mas quando rebentou a Segunda Guerra Mundial, os britânicos, com o apoio da Liga Muçulmana, declararam guerra em nome da Índia sem consultarem o Congresso. Os ministros do Congresso demitiram-se imediatamente em protesto e Gandhi lançou uma campanha «Deixem a Índia», ameaçando desobediência civil. Em 1942, Gandhi foi detido e preso no Palácio Aga Khan, em Pune, sendo libertado somente em 1944.

1947-1965
Independência

Depois da guerra, os britânicos começaram a aperceber-se de que a independência era inevitável e deram início às negociações. O Congresso queria que toda a Índia fosse libertada do domínio britânico, como uma nação única. No entanto, a Liga Muçulmana estava preocupada com o que aconteceria aos muçulmanos sob o domínio de uma maioria hindu e lutou para que as regiões de maioria muçulmana no Norte se separassem para formar uma nação muçulmana (ver página 88). À medida que as negociações se arrastavam, começaram a emergir confrontos violentos entre muçulmanos e hindus por todo o norte indiano. Aterrado com a violência, Jawaharlal Nehru

começou a admitir que a partição poderia ser inevitável.

Apesar dos esforços de Gandhi para impedir a divisão da Índia, por fim concordou-se que a partição era inevitável. O Paquistão e Bengala Oriental iriam seguir caminhos separados. Milhões de refugiados hindus, sikhs e muçulmanos começaram a jorrar de ambos os lados, pelas novas fronteiras, a um preço terrível (ver página 89). Quando a independência chegou, à meia-noite de 15 de Agosto de 1947, Gandhi estava em Calcutá, de luto pela tragédia da partição, em vez de celebrar a independência por que havia lutado durante tanto tempo e com um sofrimento pessoal tão grande. Um ano mais tarde estava morto, atingido pela bala de um fanático hindu.

Com a morte de Gandhi, a liderança do país caiu inteiramente nas mãos de Nehru, que se tornou primeiro Primeiro-Ministro quando a nova Constituição entrou em vigor, a 26 de Janeiro de 1950, uma data celebrada todos os anos na Índia como o Dia da República.

Nehru provou ser um dos maiores líderes do mundo e dirigiu o país durante os primeiros complicados anos de independência com grande perícia e humanidade. De facto, o seu carisma e sucesso foram tão marcantes que desde essa altura os indianos ansiaram recapturar a sua essência, votando primeiro na filha, Indira Gandhi, para assumir o poder, e depois no neto, Rajiv Gandhi, e, quem sabe, talvez um dia votem no bisneto, Rahul Gandhi.

Sob a liderança de Nehru, o governo tentou lançar a Índia no caminho do desenvolvimento, com um programa de reforma agrícola e industrial e com o estabelecimento de um sistema de educação para toda a nação. Em 1952, foi inaugurado o primeiro de uma série de planos de cinco anos, que incluíam tudo, desde a cravagem do centeio à indústria, passando também por grandes projectos de infra-estruturas, como barragens. Contudo, os esforços para reformar a propriedade fundiária foram frustrados pela elite rural que detinha as terras.

Economicamente, o progresso foi mais lento do que aquilo que algumas pessoas esperavam – embora, (como foi tratado na página 20) talvez tenha sido mais substancial do que aquilo que é geralmente reconhecido. Todavia, o grande feito de Nehru foi estabelecer a Índia como uma democracia liberal, apesar da sua história e das frequentes tensões violentas no país, que podiam tão facilmente tê-lo puxado para outro rumo – tal como o vizinho Paquistão demonstrou tão inequivocamente com a sucessão de golpes e ditaduras militares. Quando Nehru morreu, em 1964, a Índia parecia uma nação democrática tão natural quanto qualquer outra na Commonwealth. Afinal não fora inevitável.

1966-1991
Indira Gandhi

Rapidamente se tornou claro como podia ser frágil a estabilidade da Índia. Quando Nehru morreu, o seu cargo foi ocupado por Lal Bahadur Shastri. Shastri era visto como um homem fraco e, mais tarde, no mesmo ano, aquando da sua morte, a Índia enfrentava uma crise económica e embarcou numa de várias guerras com o Paquistão, sobre Caxemira (ver página 92).

Com a morte de Shastri, Indira Gandhi, filha de Nehru, tornou-se Primeira-Ministra. Mostrou ser uma líder tão carismática e poderosa como o pai havia sido, mas com muito menos da sua urbanidade e com ideais socialistas enfraquecidos. Para começar, tinha um apoio quase universal e o sucesso da Revolução Verde em tornar a Índia auto-suficiente em termos de cereais, juntamente com o seu plano anunciado para «Abolir a Pobreza», ajudaram-na a obter uma vitória esmagadora nas eleições de 1972. Contudo, a reorganização radical do Partido Congressista (ver página 41), juntamente com uma crise económica trazida pela escassez mundial de petróleo e pela sucessão de fracas colheitas, enfraqueceram gravemente a sua posição. A economia voltou ao normal após uma série de medidas drásticas, mas a oposição à Sr.ª Gandhi estava a crescer.

Em 1975, uma série de movimentos de protesto por parte do povo obrigou-a a declarar o estado de emergência nacional, prendendo os políticos da oposição, censurando a imprensa e fazendo efectivamente de Indira Gandhi uma ditadora. O público indiano estava cada vez mais ressentido e, em 1977, ela decidiu arriscar soltar os políticos da oposição e convocar uma eleição para alcançar o governo. Os políticos libertados aliaram forças com Jagjivan Ram, um Dalit que renunciou ao Partido Congressista, para formar o partido Janata (do povo). O Janata ganhou as eleições e tornou-se assim o primeiro partido não congressista no poder desde a independência. Contudo, o governo Janata, liderado por Morarji Desai, mostrou-se dividido e ineficaz, e em apenas dois anos já a Sr.ª Gandhi e os congressistas tinham voltado ao poder.

Pouco tempo depois das eleições, o filho de Indira Gandhi, Sanjav, que se tinha vindo a tornar o poder por trás do trono, morreu num acidente de avião. A Sr.ª Gandhi voltou-se então para o outro filho, Rajiv, e persuadiu-o a entrar na política. No rescaldo da batalha com os separatistas sikhs no Templo Dourado de Amritsar, Indira Gandhi foi assassinada em 1984 pelos seus guarda-costas sikhs e Rajiv foi o escolhido pelos congressistas para ocupar o cargo. Com o jovem e inexperiente Rajiv como líder, os congressistas obtiveram a vitória mais impressionante de sempre, logo nas eleições de 1984.

O país começou a melhorar significativamente na área da economia sob a alçada de Rajiv Gandhi, mas o seu modo de lidar com os problemas políticos no Punjabe, em Assam e no Sri Lanka demonstraram incerteza. Gastos com o exército atingiram níveis inauditos e o governo começou a ser bombardeado com escândalos de corrupção. Em 1989, o Partido Congressista perdeu novamente as eleições e, dois anos mais tarde, enquanto fazia campanha para a reeleição, Rajiv Gandhi foi assassinado por um separatista Tamil do Sri Lanka. Mais tarde, nesse mesmo ano, o ministro das Finanças, Manmohan Singh, agora Primeiro-Ministro indiano, retirou as restrições comerciais, conhecidas como a «Licença de Raj», abrindo pela primeira vez as portas da Índia ao negócio estrangeiro. Começara uma nova era.

➔ A paisagem

O subcontinente indiano ocupa uma parte da terra em forma de diamante que se separou da África e foi arrastado até ao Norte, embatendo na Ásia há cerca de quarenta milhões de anos. Quando a Índia chocou com a Ásia, o embate transformou o limite da Ásia no conjunto gigantesco de montanhas do qual os Himalaias formam a parte

sul. Espantosamente, a Índia, embora abrandada no processo pela colisão, continua a estender-se para Norte e continua a elevar os Himalaias. O monte Evereste está a crescer um ou dois centímetros por ano, mas a diferença é mensurável com a última tecnologia de satélite.

Os cumes dos Himalaias elevam-se em direcção aos céus por toda a linha norte da Índia por mais de 2400 quilómetros. O nome dos Himalaias vem do sânscrito, da palavra casa (*alaya*) e neve (*hima*), que condizem com as suas elevações, as quais garantem que os picos estão cobertos de neve durante todo o ano, oferecendo um espectáculo brilhante e reluzente na linha do horizonte vista dos aviões quando o tempo está limpo. Atingem os seus pontos mais altos a Noroeste, num território disputado por Jammu e Caxemira, onde estão os cumes mais elevados do mundo, incluindo Kangchenjunga, a montanha mais alta da Índia, com 8598 metros. Ao longo da parte sul existem colinas cobertas pela floresta, onde estão as famosas cidades, como Simla, local para onde os britânicos costumavam ir para fugirem ao calor da época seca.

Para lá dos sopés está a vasta Planície do Norte, uma cintura de terra plana depositada pelas águas das inundações numa área entre 280 a 400 quilómetros, onde corre o Ganges, o rio sagrado da Índia, e os seus afluentes. É aqui que se encontra o terreno agrícola mais rico da

Índia e é onde vive a maioria dos indianos. A Noroeste, no fim da planície, fica Deli, enquanto a Sudoeste fica Calcutá. Quando chegam as monções e as inundações, a terra transforma-se num verde vivo e brilhante, mas, na estação seca, os longos meses sem água tornam as folhas escuras e a terra num pó amarelo acastanhado que vagueia como ondas pelo ar quando o vento sopra ao nível do chão.

A Oriente, mesmo por cima de uma faixa de terra estreita, para lá da cidade de Darjeeling, fica o Vale de Assam, banhado pelo segundo dos três maiores rios da Índia, Brahamaputra. Aqui, as colinas têm os mais elevados índices de pluviosidade, criando uma vegetação exuberante que forma um dos ambientes selvagens mais ricos da Índia, assim como o seu melhor chá. Na parte ocidental fica o deserto de Thar, uma planície enorme, seca e com areia ondulante, que se estende para dentro do Paquistão.

Para lá da Planície do Ganges, no Sul, fica a grande extensão da Índia peninsular. No fim da parte norte estão as baixas colinas de Aravalli e Vindhya Range. Em contraste com a planície vizinha, são secas e rochosas e apenas escassamente habitadas por grupos de animais no ocidente e os agricultores cultivam colheitas vulgares, como o painço, no Oriente. Mais a Sul está o planalto do Decão, um vasto planalto triangular delimitado pelas colinas Satpura a norte e pelas cadeias montanhosas, conhecidas como os Gates Ocidental e Oriental, ao longo da linha do sul, que caem pelas margens costeiras escondidas na floresta tropical. O Decão é geologicamente a parte mais antiga e mais estável da Índia e a rocha sobreviveu desde a altura em que a Índia se separou da África. A maior parte da área está cultivada com pastagem, mas não é a melhor terra agrícola e a maioria dos agricultores é bastante pobre. Toda a boa terra agrícola no sul fica ao longo das margens costeiras das terras baixas, especialmente em Gujarat.

➔ Clima

A maior parte da Índia tem um clima subtropical, com temperaturas que variam pouco durante o ano. No entanto, as planícies do Norte têm Verões mais quentes e Invernos mais frios e as montanhas são muito mais frias durante todo o ano.

O clima da Índia tem três fases – o Inverno frio e seco, de Outubro a Março, o Verão quente e seco, de Abril a Junho, e depois as chuvas húmidas e quentes da época das monções. Toda a gente se refere às chuvas como sendo as monções, mas a palavra monção vem da palavra árabe *mausim*, que significa estação, por isso até a seca pode ser referida como sendo uma monção.

As chuvas da monção são cruciais para a Índia. A chuva trazida pela monção é crucial para a economia, devido ao facto de os campos serem bastante irrigados. Uma monção sem efeito pode estragar os cultivos e trazer más colheitas e até a fome. Nos anos recentes, tem havido uma preocupação maior com a chegada tardia das monções. Na Planície do Ganges, a irrigação depende de os lençóis de água se manterem cheios pelas chuvas. Os agricultores podem sobreviver a uma falha parcial da monção de um ano, mas, se isso se repetir, o efeito pode ser desastroso. Por outro lado, chuva em demasia pode também ser desastrosa, trazendo cheias devastadoras, especialmente às regiões baixas como Bihar e Uttar Pradesh.

Durante oito meses por ano, de Outubro a Maio, o tempo em muitas partes do subcontinente é quente e seco. No final desta estação quente, com os caudais dos rios baixos, a terra é ressequida e poeirenta e as pessoas esperam ansiosamente pelas chuvas. Todos os dias, os jornais são preenchidos com previsões acerca de quando estas chegam.

Nos fins de Maio, os céus geralmente ainda estão limpos e o tempo fica muito quente e seco. Mas é nesta altura que as coisas começam a mudar. O ar quente está a começar a aumentar muito rapidamente sobre a terra, envolvendo-se numa brisa fresca vinda do oceano Índico, no Sudoeste, ao longo da costa de Malabar. Entretanto, no Norte, um vento forte brama ao longo do cimo dos Himalaias do Ocidente para o Oriente. Por uns instantes, este *jet stream*, como é chamado, fecha o ar quente por cima da Índia, e então a brisa do Sudoeste traz apenas mudanças subtis. Depois, conforme o Verão avança para o Norte da Ásia, também os focos solares se movem mais para Norte e o *jet stream* muda também para Norte. Durante algum tempo, o seu progresso é bloqueado pelos cumes altos da montanha. Depois, subitamente, o *jet stream* salta mesmo por cima das montanhas, para Norte.

Com o *jet stream* fora do caminho, o ar quente fica livre para subir e passar por cima do subcontinente indiano. Rapidamente, os ventos começam a correr vindos do mar em direcção a Sudoeste, carregados de humidade. A mudança no ar alerta as pessoas para a mudança que vem a caminho. Quando o ar pesado sobe acima do Gates Ocidental solta um dilúvio. Sobre a Baía de Bengala dá-se um processo similar, inundando a Planície do Ganges. A monção começa.

Muito antes, os ventos da monção espalham-se pelo Norte ao longo de toda a Índia. Enquanto se movem, trazem consigo ar húmido que cria nuvens enormes quando irrompem por cima da terra quente e seca. Durante quase todo o dia, estas nuvens soltam um aguaceiro que encharca os campos, aldeias e cidades com algumas das pluviosidades mais fortes do mundo. A chuva continua por mais quatro meses.

As chuvas duram até aos fins de Setembro quando a terra começa a arrefecer de novo. As temperaturas entre a terra e o mar acabam por se igualar. Os ventos de Sudoeste diminuem, as chuvas param. Normalmente é a terra que é fresca e o mar que é quente. Quando o ar quente surge sobre o mar, retira ar da terra fresca. Os ventos na Índia sopram na maior parte das vezes de Noroeste e o tempo seco regressa.

Em média, a Índia recebe cerca de 1250 milímetros de chuva por ano, mas algumas regiões de colinas recebem muito mais. O Gates Ocidental, onde chegam as monções, recebe cerca de 3000 milímetros de chuva – por vezes muito mais – e Cherranpunji, nas colinas Khasi do Noroeste, tem algumas das maiores pluviosidades do mundo, com perto de 11 000 milímetros a caírem todo o ano.

➲ Ambiente

Quando se fala de aquecimento global, a Índia refere correctamente que tem pouca responsabilidade no assunto. Tem 17 por cento da população mundial e, no entanto, é responsável por menos de 4 por cento do carbono na atmosfera do mundo. No passado, contribuiu com ainda menos. No entanto, infelizmente a Índia pode ser um dos primeiros países a sofrer este efeito. Já existem sinais de que a Índia pode ser atingida por secas severas se o aquecimento global avançar, enquanto uma pequena subida nos níveis do mar pode trazer devastação nas áreas propícias a inundações no Noroeste. Apesar de até aqui estar a jogar o jogo do «sem culpa sem dor», no futuro, a Índia pode ter de começar a liderar o mundo em questões de mudanças climatéricas, em vez de se pôr de lado, simplesmente por interesse próprio.

Entretanto, a Índia tem os seus próprios problemas ambientais, em que um deles é alimentar uma população em crescimento. Em primeiro lugar, vai haver uma grande falta de água. Anos de irrigação intensa para manter as colheitas elevadas da Revolução Verde (ver pág. 117), retiraram os lençóis de água das suas reservas e aumentaram os níveis de sal. Níveis cada vez mais elevados de fertilizantes artificiais e pesticidas têm estado a ser aplicados para manter as colheitas rentáveis, poluindo a água potável. E a procura de madeira para alimentar os fogões da população indiana em crescimento conduziu à enorme destruição de árvores e florestas.

Nas cidades, o recurso aos automóveis está a aumentar dramaticamente. Dezenas de milhões de automóveis se vão juntar às estradas já obstruídas da Índia, provocando congestionamento e juntando uma grande quantidade de outros poluentes, além dos gases de efeito de estufa. Além disso, a Índia tem um recorde que é tudo menos perfeito em relação a resíduos industriais. Na verdade, provavelmente muitas empresas estabeleceram-se aqui, simplesmente porque a fiscalização é menos intensa. O lixo tóxico pode tornar-se um grande problema. As pessoas podem pensar que a terrível tragédia em Bhopal terá sido uma excepção, mas pode não ser.

O desastre de Bhopal ocorreu a 3 de Dezembro de 1984, quando a fábrica de pesticidas da empresa Union Carbide, instalada na cidade, libertou para o ar 27 toneladas de isocianato de metilo. A BBC calcula que 3000 pessoas morreram de imediato e mais 15 000 morreram como resultado directo. A Amnistia Internacional pensa que o número é muito mais elevado. A luta por indemnizações ainda não foi resolvida, quase um quarto de século depois.

No entanto, talvez o maior problema ambiental que as cidades indianas enfrentam seja a falta de água limpa. Não se conhece o número de crianças que morre devido à água contaminada, mas é certamente elevado. O tratamento de água e os sistemas de abastecimento simplesmente não conseguiram acompanhar a expansão das cidades e, mesmo nas maiores e mais desenvolvidas, muitos habitantes dos bairros de lata não têm acesso a água limpa, quanto mais a redes de esgotos decentes. Como resultado, são frequentes os problemas de saúde como a diarreia.

➔ Vida selvagem

São poucos os países que contêm um número de habitats tão grande como a Índia, das grandes cadeias montanhosas dos Himalaias até às planícies verdejantes do Decão, das exuberantes florestas tropicais de Assam aos desperdícios queimados de Thar. Por isso, não admira que aqui viva uma variedade quase incomparável de plantas e espécies animais. Existem mais de 5000 tipos de animais de grande porte na Índia, incluindo 340 mamíferos diferentes, 1200 espécies de aves e 2000 de peixes. Há também umas surpreendentes 45 000 espécies de plantas, das quais um terço não cresce em mais lado nenhum. Também florescem na Índia cerca de 15 000 tipos de plantas que dão flor – 6 por cento de todas as que existem no mundo.

O mais emblemático dos animais indianos, o elefante, ainda vagueia livremente nas florestas dos sopés dos Himalaias. E também caminha livremente pelas remotas florestas do sul do Decão. É claro que muitos elefantes estão domesticados e servem de animais de carga nas florestas de teca e mogno, assim como também para transportar turistas. No entanto, ainda existem quatro lugares onde cerca de 19 000 elefantes se encontram em estado natural: Tamil Nadu; Orissa Central, Bihar e Bengala Ocidental; nas Hill States, a Noroeste; e nos sopés dos Himalaias.

Os sopés dos Himalaias são também o lar dos ursos e de uma espécie de antílopes. Os rododendros crescem e ficam tão grandes como árvores, por entre o carvalho e a magnólia, enquanto lá em baixo, na sombra, há muitas orquídeas raras e extremamente belas. Lá bem no cimo das montanhas, cabras e ovelhas selvagens, ibexes e gorais agarram-se agilmente aos declives em forma de degrau e nos locais com neve vagueiam o iaque e o fabuloso leopardo das neves.

Não existe nenhum animal que tenha provocado o mesmo tipo de entusiasmo e fascínio que o tigre. No entanto, na selva, os tigres indianos têm sido caçados quase até à extinção. No início do século XX, pensava-se que havia cem mil tigres ou mais na Índia. Agora deve haver menos de dois mil. Muitos foram mortos. Outros foram caçados furtivamente – como ainda hoje acontece – para lhes tirarem a pele e por se acreditar nos seus efeitos medicinais. Muitos simplesmente ficaram sem lugares para viver

à medida que as florestas foram abatidas e os terrenos agrícolas se expandiam. Recuando a 1972, Indira Ghandi inaugurou o Projecto Tigre, que se destinava a estabelecer nove áreas de zona primitiva da floresta como refúgio dos poucos tigres ainda existentes, em locais como Bandhavgarh, em Maghya Pradesh, e Ranthambore, no Rajastão. Mas o projecto teve apenas um impacto limitado. A caça furtiva continua a ser um enorme problema, com dúzias de tigres a serem mortos todos os anos. Muitos pensam que o tigre estará extinto na selva indiana em 2010.

Muitos outros grandes felinos indianos estão também sob ameaça. O gato selvagem e o tigre malhado estão ambos sob ameaça de extinção. O leão asiático, em tempos o símbolo da Índia, é o mais raro, com apenas uma mão-cheia de animais que sobrevivem na floresta de Gir em Gujarat. A chita asiática extinguiu-se durante a última década. O rinoceronte de um corno, outro grande animal da Índia, pode em breve ter o mesmo destino. A desflorestação e a procura de elementos medicinais do rinoceronte têm dizimado inúmeros e agora existem pouco mais de mil, andando pelos santuários de vida selvagem em Assam, onde há florestas de bambu e vastas áreas de canas altas.

Lá em baixo, na Planície do Norte, existe um dos habitats de aves mais ricos do mundo. Os campos de arroz são os locais preferidos do pássaro-

-do-arroz, castanho escuro, da garça real mais comum da Índia, enquanto por todo o lado há vacas e búfalos, e há também a garça branca como a neve, depenicando para comer os bichinhos e parasitas que vivem no gado. Também se observam muitos guarda-rios – que são considerados sagrados em algumas regiões – assim como oriolos dourados, aberalhucos, poupas, rouxinóis e gralhas. Nos lagos e nas zonas húmidas do Rajastão, podem ver-se frequentemente exibições espantosas de aves como o grou da Sibéria, a garça-real, a cegonha, o íbis, o pato-colhereiro e o pelicano, tornando tudo muito mais bonito pelos seus reflexos nas águas calmas, quando batem as asas. Os pavões indianos são abundantes em Gujarate e no Rajastão, enquanto em Rann e Kachchh podem ver-se os floreados brilhantes e cor-de-rosa dos flamingos, com a maior colónia de reprodução do mundo. Entre as aves da floresta estão os calaus, com um aspecto maravilhoso, e o galo vermelho da floresta, de cores brilhantes.

No sul de Decão, muitas áreas estão ainda cobertas pela abundante floresta de sândalo, onde o sambur e o chital, deambulam, assim como os pequenos veados chevrotin. No Gates Ocidental, há densas florestas de *Mesua* (castanheiro rosa indiano), *Toona ciliate* (mogno indiano), *Hopea* e *Eugenia* (a árvore de fruto jamun), assim como a grande árvore oriental

gurjun, que atinge mais de 50 metros de altura a Norte de Assam. As civetas vivem aqui. Na extremidade a sul da Índia, as exuberantes florestas de teca e pau-rosa são a casa do macaco bonnet, assim como de uma abundância de pássaros exóticos e coloridos, como os periquitos. Outros macacos, como o macaco de Assam e o macaco de cauda de porco, vivem nas florestas do Norte. No entanto, os macacos mais ubíquos são o macaco Rhesus e os langures Hanuman. O Hanuman obteve o nome do deus macaco que ajudou o herói no épico *Ramayana* e o langur Hanuman é considerado sagrado.

Nenhum resumo da vida selvagem pode ficar completo sem mencionar as cobras do país. Vivem perto de quatrocentas espécies de serpentes na Índia, incluindo a píton indiana, que vive nas áreas pantanosas e em terrenos com vegetação. Mais de um quinto das espécies de cobras indianas são venenosas, incluindo as kraits, as cobras e as serpentes marinhas. A mais mortífera de todas é a cobra-real. As cobras indianas matam mais gente do que qualquer outro animal selvagem no mundo.

➔ Línguas

A Índia é um país incrivelmente rico a nível linguístico, com mais línguas faladas do que qualquer outra nação na Terra. As línguas

indianas dividem-se em duas grandes famílias: as línguas dravídicas, como a kannada, falada sobretudo no Sul da Índia, e as línguas indo-europeias, como a assamese, falada sobretudo no Norte. Todas as línguas indo-europeias descendem do sânscrito, a língua sagrada da literatura hindu, actualmente apenas utilizada em rituais hindus. As línguas dravídicas são, essencialmente, línguas faladas por pessoas pertencentes ao grupo étnico dravídico.

A primeira Constituição indiana reconhece oficialmente dezoito línguas. Destas, treze são indo-europeias, quatro são dravídicas e uma é sino-tibetana (manipuri).

As línguas indo-europeias são a língua materna de quase três quartos de indianos. Só o hindi é a língua materna de trezentos milhões de indianos e é a língua oficial em Deli e num grande bloco de Estados do Norte do país – Bihar, Haryana, Himachal Pradesh, Madhya Pradesh, Rajastão e Uttar Pradesh. Nos outros sítios, as línguas oficiais são: o assamese em Assam, o bengali em Bengala Ocidental e Tripura, o gujarati em Gujarate, o caxemirense em Jammu e Caxemira, o konkani em Goa, o marathi em Maharashtra, o nepali no Norte de Bengala Ocidental, o oriya em Orissa e o punjabi em Punjabe. A maioria dos muçulmanos fala urdu, excepto no Sul distante, enquanto o sindhi é falado no distrito Kachchh de Gujarate.

Quase todos os outros indianos falam uma língua dravídica, sobretudo no Sul. Há quatro línguas dravídicas com estatuto constitucional: kannada em Karnataka, malayalam em Kerala, tamil em Tamil Nadu e telugu em Andhra Pradesh.

Obviamente, para além destas línguas maternas, existem outras duas línguas faladas por tantos indianos que se tornaram efectivamente línguas francas – o hindi e o inglês. Em particular nas cidades, onde muitas vezes há uma mistura de pessoas de diferentes partes do país, os habitantes falam uns com os outros em hindi ou em inglês. De facto, à medida que os migrantes se deslocam pelo país, especialmente para as cidades, o hindi está a tornar-se cada vez mais ubíquo, ao ponto de várias pessoas estarem preocupadas com a extinção das línguas locais. E podem até estar certas. O inglês é essencial para se fazerem negócios; o hindi é essencial para interagir com um vasto número de pessoas. Porque se hão-de preocupar com uma terceira língua que só é falada a nível local?

⮞ Música

A Índia tem uma tradição musical tão rica e complexa como a da Europa, com uma grande diversidade de estilos, e o impacto das influências ocidentais nos anos recentes criou ainda mais variedade.

Música popular

A música original da Índia é a música popular e muitas das suas tradições remontam há milhares de anos. A chegada da música de Bollywood e da música do Ocidente corroeu a sua popularidade, e há alguns locais onde a música popular quase desapareceu. Ainda assim, neste momento está a passar por uma espécie de reaparecimento, em parte devido ao interesse ocidental pela «música do mundo» e em parte porque alguns jovens indianos estão a reencontrar um novo orgulho na sua herança cultural. Há uma grande panóplia de diferentes tradições de música popular na Índia, mas as mais fortes são as de Uttar Pradesh, Rajastão, Punjabe e Bengala. Os povos tribais indianos, como os Gonds, de partes remotas da Índia Central, também produzem a sua música característica.

A música do Rajastão desempenha um papel tão importante na vida da região que até existem várias castas de músicos, como os *langas* e os *saperas*. No passado, todos os casamentos, todas as peças de teatro e todos os mercados locais tinham o som terreno da música tradicional do Rajastão. Têm também os seus próprios instrumentos de cordas, como a *ravanhata*, uma espécie de violino de duas cordas. No vizinho Punjabe, os agricultores tinham uma característica música de dança chamada *bhan-gra*, que teve algum sucesso nos anos 90, no Reino Unido, quando foi transformada num estilo moderno de música de dança pelos indianos que viviam em Londres.

Um elemento particularmente forte da música popular indiana nos tempos recentes tem sido a canção poética chamada Bhavageete, que significa «poesia de emoção» e apresenta o trabalho de muitos poetas expressionistas como Kuvempu.

Música clássica

A espantosa música clássica indiana começou a desenvolver-se a partir da música popular entre os séculos XII e XVI. Este estilo tem duas componentes muito vastas – a parte da música hindustani do Norte e a parte do Sul, chamada carnática.

O estilo hindustani é muito mais austero e elaborado do que o estilo do Sul e tem uma forte influência muçulmana, introduzida pelos *mughals* persas. Na verdade, muitos dos grandes músicos do estilo hindustani eram muçulmanos. Normalmente, os grandes músicos muçulmanos adoptam o título de *ustad* (que significa mestre), enquanto os grandes músicos hindus são chamados *pandit* (uma espécie de guru). Para os músicos hindustanis, a música tem uma qualidade espiritual e é tradicionalmente ensinada ao estabelecer-se

um forte laço espiritual entre mestre e discípulo, com apenas dois intervenientes – normalmente pai e filho –, embora hoje em dia essa tradição esteja a desaparecer. Cada músico tende a submergir-se numa *gharana* ou escola em especial, que dita tudo, desde o conteúdo musical ao estilo das actuações.

No coração da música clássica hindustani está o *raga* ou *raag*. Os *ragas* são escalas musicais diferentes, ou padrões melódicos, cada um baseado numa nota dominante em particular e cada um apresentando diferentes fases ascendentes ou descendentes. Ao todo, existem cerca de duzentos, cada um ligado a um tom ou tempo especiais. Todos os *ragas* têm a sua altura do dia e devem ser ouvidos ou tocados apenas na altura certa, como o nascer-do-Sol ou a meia-noite. Tal como o jazz, a música clássica indiana é por natureza composta por improvisações e cada *raga* faculta um ponto de partida para a improvisação. No entanto, ao contrário do jazz, o *raga* oferece um enquadramento muito mais rígido e a grande perícia do músico é criar uma improvisação rica enquanto adere ao enquadramento.

Enquanto o *raga* dá uma estrutura à melodia, o ritmo é estruturado por *taals*. Cada peça atravessa ciclos de *taals* distintos, cada um com uma batida diferente. Alguns destes ritmos são incrivelmente complexos e levam muitos anos até serem dominados.

Na verdade, muitos deles são tão intrincados que os ouvidos destreinados dos ocidentais muitas vezes simplesmente não conseguem ouvi-los.

A música clássica hindustani é interpretada por uma enorme variedade de instrumentos únicos, como o *sarangi*, tocado com arco, e uma espécie de harpa chamada *santoor*. Os mais conhecidos são as cítaras de seis ou sete cordas, tocadas de forma mais célebre por Ravi Shankar, o *sarod* mais pequeno, cujo exponente mais conhecido é Ustad Ali Akbar Khan. Contudo, a forma mais erudita da música clássica é o canto e mesmo as pessoas que tocam os instrumentos tentam muitas vezes fazer com que o som se assemelhe à voz humana.

A música carnática é menos austera do que a hindustani e para os ocidentais parece muito mais apaixonada – apesar de os músicos hindustanis dizerem que é apenas uma questão de como se ouve. O canto é central para a música carnática e a maior estrela deste estilo musical foi o cantor Thyagaraja (1767-1847). Nos tempos recentes, M. S. Subbulakshmi (1916-2004) talvez tenha sido a cantora carnática mais conhecida.

Cinema

Os filmes de Bollywood criaram o seu próprio género musical, convenientemente conhecido por

Filmi, que se tornou muito popular, tanto na Índia como no estrangeiro. Sumptuoso, arrojado e activo, o *Filmi* baseia-se tanto nas tradições da música clássica indiana como nas da música popular moderna do país, mas simplifica-as e dá-lhes um adocicado, mas vivo, cunho moderno bastante acelerado, e adiciona-lhes o vasto som da música ocidental. As canções dos filmes de Bollywood são frequentemente as canções pop que mais vendem na Índia.

Pop e rock

Muitos jovens músicos indianos, tanto na Índia como no Reino Unido, estão a criar fusões entre os estilos musicais ocidentais e indianos. Não se trata apenas de *bhangra*, mas também de *Hip Hop*, *Filmi*, *R'n'B*, *ragas*, jazz moderno, e todos os outros estilos musicais que se possam imaginar estão a ser misturados neste estilo de fusão. Contudo, recentemente, os jovens de cidades como Calcutá e Mumbai começaram a gostar de música rock pesada, com bandas como os Parikrama e os Pentagram a ganharem importância.

➔ Dança

A Índia é famosa por todo o mundo pelos estilos de dança característicos, com muitas tradições que datam de há milhares de anos. Existem dúzias deles, mas o mais conhecido é o *Bharata Natyam*. Este estilo foi criado em Tamil Nadu, algures no século passado, mas as suas raízes remontam a tempos mais antigos, desde o *Cathir*, a arte dos bailarinos do templo, até à aurora da história indiana. Pensa-se que tenha sido criado por Bharata Muni, um sábio filósofo hindu que escreveu uma importante dissertação sobre a dança, chamada *Natya Shastra*. *Bharata Natyam* incorpora todos os movimentos precisos, gestos das mãos e expressões faciais que tornam a dança indiana tão conhecida. Cada gesto e movimento que a bailarina executa tem um significado especial. É como se fosse uma dança do fogo – ou seja, representa o fogo, um dos elementos místicos básicos do corpo humano. O estilo de dança *Odissi* é uma dança da água, enquanto o *Mohiniattam* é a dança do ar.

A forma de dança mais emocionante talvez seja a *Kathak*, que teve origem na parte norte da Índia. Neste estilo, a bailarina, que tem cem sinos em cada tornozelo, bate os pés e rodopia espectacularmente a uma velocidade incrível. A designação *Kathak* provém da palavra «história» em sânscrito e envolve muitas vezes o contar da história das três fases da vida – a criação (simbolizada por

Brahma), a preservação (simbolizada por Vishnu) e a destruição (simbolizada por Shiva), sendo que a dança começa por ser lenta e acaba num clímax dramático de alta velocidade.

O *Manipur* teve origem em Manipur, no Nordeste do país, junto à fronteira com Burma. Conhecido pelas suas delicadas e graciosas rotações e ondulações, antigamente o *Manipur* só se dançava nos templos, mas, em grande parte graças aos esforços do famoso poeta Rabindranath Tagore, agora também já se dança em palco.

No entanto, a dança mais vista na Índia não é sem dúvida nenhuma destas formas tradicionais puras, mas o curioso híbrido moderno – a dança dos filmes de Bollywood. Os primeiros filmes de Bollywood baseavam as sequências de dança em estilos clássicos, mas os filmes actuais são uma mistura dinâmica de diferentes estilos de dança indiana com os estilos ocidentais modernos. Todos os filmes de Bollywood são pontuados pelos itens de cenas onde a bailarina dança com um enorme coro de bailarinos num cenário espectacular – normalmente estas sequências nada têm que ver com o enredo do filme.

➲ Arte

A Índia tem uma tradição de pintura que remonta aos tempos pré-históricos, algo que não acontece em quase nenhum outro lugar do mundo. Em Bhimbetka, em Madhya Pradesh, existem pinturas excepcionais em abrigos rochosos que datam pelo menos de há doze mil anos, onde se vêem elefantes, sambares e bisontes, pavões, cobras e veados. Existem até representações de arcos e flechas, espadas e escudos. Espantosamente, muitas delas têm as cores quase tão vivas como no dia em que foram pintadas.

No entanto, as pinturas antigas mais célebres da Índia talvez sejam as extraordinárias imagens das grutas Ajanta, em Maharashtra. Estas pinturas budistas são por vezes descritas como a Capela Sistina da Índia, mas só existem neste país e não existe nada da mesma época histórica que se lhes compare em sofisticação e perícia, em qualquer outro lugar do mundo. A maioria foi pintada no período Gupta, (séculos V e VI d. C.), mas as mais antigas remontam ao século II a. C. e contam histórias sobre a vida de Buda.

As pinturas rupestres de Chola, em Tamil Nadu, que foram descobertas em 1931 sob imagens mais recentes numa passagem do antigo templo Brihadisvara, são quase tão surpreendentes como as pinturas de Ajanta. Estas belas imagens, muitas vezes eróticas, datam do século XII. Contudo, Chola e Ajanta não estão sozinhas. Por toda a Índia há frescos maravilhosos de quase todas as eras dos últimos milénios.

É óbvio que isto não significa que os indianos só pintaram em paredes. Os murais são simplesmente aqueles que melhor sobreviveram. Existe uma brilhante tradição de pinturas em miniatura na Índia, mas muitas das mais antigas e melhores foram-se perdendo ao longo do tempo. As miniaturas sobreviventes mais antigas são manuscritos em folhas de palmeira, que datam do século XI e ilustram a vida de Buda. Contudo, foi sob a alçada dos imperadores mogóis, Jahangir e Shahjahan que a influência persa levou a arte das miniaturas indianas ao seu cume, nos séculos XVI e XVII.

Durante o domínio britânico, os antigos patronos da arte entraram em declínio e a arte ocidental começou a adornar as paredes das casas indianas – não só as dos britânicos, mas também as dos indianos. Nas décadas de 20 e 30, o grande poeta indiano Rabindranath Tagore criou uma combinação brilhante de arte asiática com um toque *avant-garde* ocidental. Após a independência, em 1947, um grupo de seis artistas – K. H. Ara, S. K. Bakre, H. A. Gade, M. F. Husain, S. H. Raza e F. N. Souza – juntou-se para formar o Grupo de Artistas Progressistas e estabelecer um novo rumo para a arte indiana. O impacto do grupo foi profundo e duradouro, inspirando artistas como Bal Chadba e Ram Kumar. No entanto, nas últimas décadas, um grupo de artistas indianos, tal como os seus congéneres ocidentais, tem estado a quebrar as fronteiras convencionais da pintura e da escultura, fazendo experiências com criações multimédia. Em galerias, tal como a oportunamente chamada Natureza Morta, em Deli, artistas como Ranbir Kaleka e Shilpa Gupta expõem os seus novos trabalhos radicais.

➜ Arquitectura

Tal como a arte indiana, a arquitectura do país tem um tradição longa e venerável. Obviamente, as construções mais antigas da Índia datam do tempo da civilização harappa, há três ou quatro mil anos, mas nenhuma das construções harappa permaneceu intacta. Não obstante, existem algumas construções muito antigas na Índia – as mais representativas são as grandes *stupas* budistas ou túmulos construídos na época do Império Mauria (321-232 a. C.). No mesmo período, existiram grandes palácios, como demonstram as ruínas de Pataliputra, e as colunas das leis (ver página 177) erguidas pelo imperador Asoka. No entanto, as criações mais espantosas desta época são os vários templos e altares, esculpidos em sólidos rochedos.

Existem templos hindus no Sul da Índia. Podem não ser tão antigos como as criações budistas, mas ainda assim são antigos. Em Aihole e Pattadakal, há um grande número de pequenos templos e muitos remontam ao século VI a. C. Aqui existem sinais de duas tradições que mais tarde iriam dominar a arquitectura dos templos hindus: o estilo Nagara do Norte e o estilo Dravídico do Sul. O estilo dravídico é caracterizado por uma pirâmide escalonada, enquanto o nagara é arredondado, como o Templo do Sol em Konark e o Templo Brihaeeswara em Thanjavur.

Talvez tenha sido com a chegada dos imperadores mogóis, que trouxeram uma influência islâmica, que a arquitectura indiana atingiu o seu apogeu. Cúpulas graciosas e arcos elegantes, *shans* (pátios) tranquilos e *liwans* (claustros) protegidos do Sol, tornaram-se parte da arquitectura indiana. Edifícios como a mesquita Jama Masjid na antiga Deli e, é claro, o Taj Mahal, em Agra, dificilmente têm rivais, em qualquer outra parte do mundo, que se equiparem em termos de beleza.

Ao olhar para a arquitectura sobrevivente de templos antigos e mausoléus, é fácil sermos levados a pensar que a Índia deve ter sido sempre um país profundamente religioso e de inclinação espiritual. Mas, tal como as igrejas são muitas vezes as únicas sobreviventes das cidades e aldeias inglesas dos tempos medievais, também estes são simplesmente os únicos edifícios de pedra que permaneceram. Inúmeras construções

seculares foram desaparecendo com o passar do tempo e, em anos recentes, os eruditos começaram a prestar mais atenção e a procurar pistas de como poderia ter sido o seu aspecto.

Os britânicos, obviamente, imprimiram o seu próprio cunho à arquitectura indiana, com a introdução de grandes edifícios seculares em estilos neoclássicos e neogóticos. A mais famosa destas criações britânicas é a Estação Terminal de Chhatrapati Shivaji, em Mumbai, originalmente conhecida por Estação Victoria, em homenagem à Imperatriz britânica da Índia.

Os últimos anos de domínio britânico testemunharam a criação, não só de meros edifícios, mas também de toda uma paisagem citadina planeada para Nova Deli, onde o arquitecto britânico Edwin Lutyens criou uma cidade majestosa, com avenidas extensas, ladeadas por árvores, e com edifícios graciosos, tão diferente das cidades caóticas e sobrepovoadas que existem nas outras partes do país, que, passado quase um século, continua a parecer um implante de natureza diferente. Na década de 50, sem ser posta à parte pelo orgulho excessivo destes planos, a nova Índia independente conseguiu que o arquitecto francês *avant-garde*, Le Corbusier concebesse uma paisagem citadina de natureza ainda mais diferente, na áspera rigidez de betão de Chandigarh, e que outro modernista europeu, Otto Koenigsberger, criasse Bhubaneshwar, Bhopal e

Gandhinagar – cidade assim chamada em homenagem a Gandhi, mas aparentemente em desacordo com tudo aquilo que este defendeu.

Agora, a nova prosperidade da Índia está a estimular um boom na construção e os arquitectos indianos que constroem dentro do estilo contemporâneo ocidental, tal como Charles Correa e Balkrishna Doshi, têm bastante trabalho. Contudo, a empresa mais famosa (ou infame) da nova geração de arquitectos indianos talvez seja a Hafeez Contractor, sediada em Mumbai, que concebeu o altíssimo hotel inspirado nos Himalaias, a ser construído em Noida, uma cidade em Uttar Pradesh, e que pode vir a ser o maior edifício do mundo, com mais de 800 metros de altura. A cidade do Norte de Gurgaon também está a planear a construção de uma torre que bata os recordes mundiais, enquanto Mumbai e Deli, que sempre foram cidades com edifícios baixos, tencionam que a linha do horizonte se assemelhe num futuro próximo à de Manhattan, com muitos arranha-céus.

➲ Literatura

Durante milhares de anos, a tradição literária indiana, uma das mais antigas do mundo, foi originariamente oral e em verso. As primeiras obras foram compostas para serem cantadas ou recitadas em vez de lidas e os autores normalmente permaneciam anónimos.

Isto aplica-se às primeiras três grandes colecções de literatura que datam do tempo dos *Vedas*: os quatro textos sagrados hindus dos *Vedas* e os dois grandes épicos seculares, *Ramayana* e *Mahabharata*. O poeta Valmiki é por vezes citado como o autor do *Ramayana*, mas, provavelmente, foi cantado por poetas e transmitido de geração em geração durante séculos, antes que Valmiki o registasse por escrito, por volta do século IV a. C. Na verdade, acredita-se que possa ter sido criado no século XV a. C. De modo semelhante, o *Mahabharata* é por vezes atribuído ao autor Vyasa, mas este provavelmente apenas escreveu o que já era uma obra oral muito mais antiga.

Ramayana

O *Ramayana* conta a história de Rama, uma encarnação do deus Vishnu, que é exilado com o irmão, Laxman, e com a mulher, Sita, que é uma encarnação da deusa Lakshmi. Ravanna, o maléfico demónio de dez cabeças, de Lanka (o actual Sri Lanka), ouve falar da extraordinária beleza de Sita e decide que tem de a possuir. Disfarçado, primeiro de veado dourado e depois de sacerdote, Ravanna rapta-a, apesar dos esforços que Jatayu, a águia, fez para a salvar. Rama e os amigos, que incluem o deus-macaco Hanuman, partem numa grandiosa demanda para resgatar Sita. Quando Rama começa a entrar em desespero, Hanuman apercebe-se de que se pode tornar suficientemente grande para passar os mares de Lanka, onde encontra Sita a chorar. Ajudado por todas as criaturas existentes, Rama constrói uma ponte até Lanka. Trava uma batalha com Ravanna e, após grandes conflitos, derrota-o e mata-o. Hanuman traz Sita de volta para Rama, que, ao contrário do que seria de esperar, a trata friamente. Defendeu a honra salvando-a, mas ela havia estado em casa de um estranho. Sita atira-se para o fogo, mas Agani, o deus do fogo, salva-a e devolve-a a Rama, que agora a aceita, uma vez que provou a sua integridade.

Mahabharata

O *Mahabharata* é o relato de uma guerra civil verdadeiramente gigantesca, contada num poema verdadeiramente gigantesco. Composto por cerca de cem mil versos, é provavelmente o mais longo poema de sempre. O excerto mais conhecido é um segmento chamado *Bhagavad Gita*. O *Bhagavad Gita* foi escrito como sendo um sermão feito pelo deus Krishna, no qual

expõe as tarefas básicas dos hindus, em termos do dever de um guerreiro. Um guerreiro adverte Vishnu de que tem de cumprir o seu *dharma* [ver página 61] lutando a batalha honrada. Diz que «há mais alegria em cumprir o próprio dever erradamente do que em cumprir bem o dever de outro homem».

Primeira literatura indiana

O *Ramayana* e o *Mahabharata* são duas grandes obras da literatura clássica sânscrita, mas existem outras dentro deste grande período secular que se estende desde 200 a. C. a cerca de 1100 d. C. Foi nesta altura que se deu o florescimento do teatro indiano, com peças muitas vezes baseadas em épicos famosos. Começou com o autor dramático Bharata, cuja obra *Natya Shastra* (c. 200 a. C.) se tornou uma bíblia para qualquer dramaturgo, bem como também para outros artistas de palco, como bailarinos. Contudo, o maior dramaturgo deste período, por vezes descrito como o Shakespeare indiano, foi Kalidasa. Kalidasa viveu algures entre o século I a. C. e o século V d. C. As suas peças mais conhecidas são *Reconhecimento de Shakuntala, Malavika e Agnimitra* e *Pertaining to Vikrama e Urvashi*. Neste período também existiram cinco grandes poemas em sânscrito, inspirados no *Maha-bharata*, incluindo o *Rahuvamsa* e o *Kiratarjuniya de Bharavi*, de Kalidasa.

Ao mesmo tempo, no Sul da Índia, estavam a ser escritos grandes poemas sobre o amor e a guerra, não em sânscrito, mas em tamil. Foi em Tamil Nadu, nos séculos VI e VII, que surgiu a tradição de *bhakti* (devoto), que teria um impacto profundo nas obras indianas durante os mil anos seguintes. Diz-se que o auge do *bhakti* é o poema *Ramcharitmanas*, de Tulsi Das, escrito no século XV.

A chegada dos persas e dos turcos trouxe consigo uma nova influência islâmica para os escritos indianos, afectando, não só aqueles que escreviam em urdu, mas também os que escreviam em bengali, gujarati e caxemirense. A influência islâmica adicionou ao *bhakti* hindu, o *ghazal*, uma forma persa de poesia de amor, semelhante ao soneto europeu. O *ghazal* indiano atingiu o seu clímax nos versos líricos em urdu, de Mir e de Ghalib.

O Raj

Quando os britânicos chegaram, o contacto com o pensamento e a educação ocidentais e o aparecimento da máquina impressora surtiram um efeito profundo na escrita indiana. No século XIX, os portos de Mumbai, Calcutá e Chennai abrigaram o desenvolvimento de uma nova tradição de literatura em prosa – romances, contos e peças – que dominou o verso tradicional indiano. Alguns poetas urdus continuaram a compor como antigamente, mas os de Bengala, por vezes, imitavam os poetas ingleses como Percy Shelley e, mais tarde, T. S. Eliot.

A figura literária mais importante da época Raj foi o poeta e artista bengali, Rabindranath Tagore (1861--1941). Durante os primeiros cinquenta anos de vida, foi um poeta pouco conhecido, que escrevia em bengali, mas tudo isso mudou em 1912, quando começou a traduzir para inglês uma colecção de poemas da sua autoria, chamada *Gitanjali*. W. B. Yeats viu os poemas e ficou deslumbrado. Tagore tornou-se um êxito mundial de um dia para o outro e no espaço de um ano tornara-se o primeiro indiano a receber o Prémio Nobel. No espaço de três anos havia sido distinguido com o grau de cavaleiro, embora mais tarde, em 1919, tenha renunciado ao título após o massacre dos manifestantes indianos em Amritsar, levado a cabo pelas tropas britânicas [ver página 184].

Índia independente

Num passado não muito distante, uma série de romancistas indianos que escreviam em inglês tor-

nou-se conhecida por todo o mundo, incluindo Salman Rushdie, cuja vida célebre de *Filhos da Meia-Noite* começou na altura da Independência, Rohinton Mistry (*A Fine Balance*), Vikram Seth (*Um Bom Partido*), Anita Desai (*O Jejum e a Festa*) e Amitav Ghosh (*The Shadow Lines*). Autores como V. S. Naipaul (*Num País Livre*), Ruth Prawer Jhabvala (*Heat and Dust*), Arundhati Roy (*O Deus das Pequenas Coisas*) e Kiran Desai (*A Herança do Vazio*) ganharam todos o Prémio Booker, tal como Salman Rushdie com *Os Filhos da Meia-Noite*. R. K. Narayan reescreve os contos clássicos populares indianos em *Gods, Demons and Others*.

➲ Media

Impresso e *online*

Com uma população acima de mil milhões, dos quais pelo menos metade sabe ler, não admira que a Índia produza muitos jornais. Mas o total é verdadeiramente espantoso. Todos os dias são editados mais de cinco mil jornais diferentes e, para além dos de circulação diária, existem cerca de quarenta mil revistas. As lojas onde se compram jornais estariam soterradas se não tivessem apenas uma pequena fracção. Cerca de metade dos jornais são escritos em hindi (perto de vinte mil), cerca de um sexto são escritos em inglês (sete mil e quinhentos) e 1 a 2 por cento são escritos em urdu e em marathi, bengali, gujarati, tamil, kannada, malayalam e telugu.

Os jornais hindi de maior tiragem são o *Dainik Jagran* e o *Dainak Bhaskar*. Os principais jornais escritos em inglês são o *Hindu*, o *Times of India*, o *Economic Times* e o *Indian Express*. Todos estes são relativamente conservadores, tanto na perspectiva política como na escolha de artigos. A Índia não tem grandes jornais sensacionalistas na mesma linha do *Sun* do Reino Unido. Além dos jornais, existe agora um sem-número de novas revistas ao estilo da *Time*, como *India Today, Frontline* (publicada pelo jornal *Hindu*) *Outlook, Sunday* e *The Week*.

A maior parte dos grandes jornais dispõe de versões *online*, mas um dos sítios informativos mais interessantes da Internet é o *Tehelka*, que expôs a corrupção no governo de Vajpayee e que, em contrapartida, acabou por ser encerrado. Passado pouco tempo voltou a estar operacional e actualmente é um sítio de Internet bem sucedido, bem escrito, e que oferece cobertura alargada sobre uma série de assuntos. Escritores como V. S. Naipaul e Arundhati Roy aparecem muitas vezes nas páginas do *Tehelka*.

O boom consumista da Índia deu origem a um grande número de revistas cor-de-rosa que aumenta rapidamente. No topo da lista estão as dos adeptos de Bollywood, como a *Filmfare* e a *Screen*, acompanhadas por páginas de Internet como a *Planet Bollywood* e a *Bollywood Online*. Depois, há as revistas femininas e as de moda, como a *Femina*, a *Verve*, a *Cosmopolitan* e a mais sóbria *Desh Videsh*, que coloca a ênfase nos casamentos tradicionais. Em Thokalath.com podem encontrar-se *links* para todas as revistas indianas.

Televisão

Desde que o mercado de transmissão foi aberto pela liberalização de 1991 e 1992, a Índia tem testemunhado uma crescente maré de canais de televisão, tanto por satélite como por cabo. Actualmente, há muito mais de cem canais para pelo menos quatrocentos milhões de telespectadores indianos, em setenta milhões de casas. Quando a liberalização teve início, a televisão por satélite era quase uma exclusividade dos hotéis mais importantes, mas em pouco tempo os empresários empreendedores ligavam-se a um satélite e forneciam televisão aos bairros através de cabos. Agora cada vez mais utilizadores indianos têm as suas próprias antenas parabólicas ou uma ligação directa a redes comerciais de televisão por cabo.

Antes da liberalização, a transmissão estava quase totalmente nas mãos da estação televisiva estatal Doordashan e da cadeia de rádio All India Radio. Havia críticas consideráveis por a Doordashan transmitir programas de excessivo pendor governamental. Nas eleições de 1989, o apoio da Doordashan a Rajiv Gandhi foi óbvio demais. A abertura das ondas aéreas à competição obrigou a Doordashan a adoptar uma visão mais equilibrada. Também a forçou a modernizar completamente todas as emissões, uma vez que começou a perder audiências para canais via satélite, como o Zee, o Sun, a CNN e o Star, de Rupert Murdoch. A televisão por cabo abriu caminho a uma série de novos canais, como a MTV, o STAR plus, a BBC, o Prime Sports, a Nickelodeon e o famoso Canal V, apresentado por modelos de Mumbai vestidas com muito pouca roupa. Apenas uma pequena porção de casas pode receber TV por cabo, mas o número está a aumentar. Todos estes canais abriram a Índia a uma série de novas influências e experiências, mas ainda existem limites acerca do que é permissível. Por exemplo, na Primavera de 2007, o canal FTV foi banido por transmitir programas como o *Midnight Hot*, onde «se mostram modelos insuficientemente vestidas e seminuas» de uma maneira que vai «contra o bom gosto e a decência».

➲ Comida

A Índia é famosa pelo rico e inventivo uso de especiarias. A comida indiana é incrivelmente variada e existe uma grande quantidade de gastronomias regionais muito distintas, sendo que as especiarias e as ervas aromáticas estão fortemente presentes em todas elas. O vegetarianismo é outra parte integrante muito forte. Apesar de se comer carne e peixe em vários locais, cerca de um terço da população é vegetariana e são muitos mais os que comem pouca carne. A tradição vegetariana surgiu na época de Asoka (273-232 a. C.), o grande imperador budista indiano, e manteve-se até à data.

Os elementos principais da comida indiana são o arroz, *atta* (trigo inteiro) e uma enorme variedade de sementes e grãos, como *chana*, *toor* e *urad*. A maioria das sementes e dos grãos são transformados numa espécie de pó chamado *dal*, à excepção de *chana*, que é comido inteiro ao pequeno-almoço ou transformado em farinha. Contudo, o prato principal da cozinha indiana é aquilo a que os ocidentais chamam caril, mas que na verdade cobre um sem-número de pratos. Os caris são feitos ao adicionar uma *masala*, ou uma mistura de especiarias, aos vegetais fritos no fim da confecção. Há uma enorme variedade de *masalas*, mas tipicamente incluem especiarias como pimentão-de-caie-na, açafrão-da-índia, gengibre, canela, cardamomo, cravo-da-índia, pimenta, cominhos, fenacho e coentros (tanto as folhas como as sementes). O *Garam masala* é uma mistura picante de cinco especiarias incluindo cardamomo, canela, cravo-da-índia, pimenta preta e pimentão-de-caiena. Curiosamente, os tomates, os pimentões e as batatas, que agora são parte integral da culinária indiana, são adições relativamente recentes, da América, introduzidas pelos portugueses nos séculos XVI e XVII.

A cozinha indiana é normalmente dividida entre a do Norte e a do Sul, apesar de cada área cobrir um largo espectro de cozinhas. A culinária do Norte da Índia tem uma forte influência turca e persa. É muito menos vegetariana do que a do Sul e a comida é muito mais rica, incorporando natas, iogurte, amêndoas, passas e açafrão. Os lacticínios da comida do Norte tendem a ser processados de modo a fazer *gee* (manteiga pura), *panner* (queijo) e iogurte, em vez de serem usados como simples leite. Outro elemento importante da cozinha do Norte é o *tandoori*, que obtém o nome de um forno fundo de barro, ou *tandoor*. Pães como o *naan*, o *kulcha* e o *khakra* são todos cozidos num *tandoor*. A carne de galinha pode ser marinada em iogurte, ervas aromáticas e especiarias e cozinhada num *tandoor*, de modo a fazer galinha *tandoori*. Quando se retiram os ossos à galinha, passa a chamar-se *tikka* e, quando se adiciona uma *masala* de especiarias, passa a chamar-se galinha *tikka masala*. A influência Mughal no Norte é evidente pela variedade de partos de carne e espetadas, frequentemente descrita como cozinha Mughlai. Os bengalis comem muito peixe e adicionam muitas vezes as espinhas aos caris vegetais. Em Bihar, muitas pessoas usam um tipo de farinha chamada *satu*, em vez de arroz. Já os habitantes de Gujarat gostam de adicionar açúcar aos cozinhados.

No Sul, os ingredientes essenciais são o arroz e o coco. Quase não se usa carne, e os lacticínios pesados, como a *gee* e o *panner*, raramente se utilizam. Apesar de estas refeições também serem comuns no Norte, uma refeição típica do Sul consiste numa coroa de arroz rodeada de uma enorme variedade de pequenas porções de diferentes caris, *dals*, *chutneys*, coalhada e por aí adiante, tradicionalmente servido num tabuleiro de metal chamado *thali* ou numa folha de bananeira.

➲ Ir para a Índia

Fazer negócio

À medida que a economia indiana continua a crescer e a expandir-se, cada vez mais ocidentais viajam para lá em negócios. Em alguns aspectos, a Índia é um país onde se criam negócios com muita facilidade, se falarmos inglês. Apesar de se falarem vinte línguas diferentes e de o hindi ser a mais falada de todas, a maioria dos indianos no mundo dos negócios fala inglês. Só este factor já é uma enorme mais-valia. Significa que não só nós os entendemos, mas também eles nos entendem e, se falam inglês, também compreendem no mínimo um pouco da nossa cultura. Na verdade, muitos indianos do mundo empresarial estudam nos EUA ou no Reino Unido. Dito isto, alguns estrangeiros acham que os indianos falam inglês tão depressa, ou com um sotaque tão vincado, que se pode tornar difícil entendê-los. Provavelmente vale a pena, educadamente e com muito tacto, pedir à pessoa com quem se está a falar para o fazer um pouco mais devagar, pois, se for esse o caso, evitam-se as hipóteses de má interpretação.

No entanto, apesar da língua comum, as diferenças culturais são importantes. Alguns indianos são muito ocidentalizados, especialmente em Mumbai e em Deli, e negociar com eles não é muito diferente do que negociar no Ocidente. Todavia, no que diz respeito aos outros, vale a pena entender as diferenças notórias que existem nas formas de contacto.

Religião e família

Os indianos têm mais tendência para dar prioridade máxima à

família e à religião dos que os seus congéneres ocidentais. Isto significa que os negócios vão ser sempre relegados para segundo plano se houver um importante acontecimento familiar ou religioso. O que quer dizer que, provavelmente, não só não se farão negócios em nenhum dos dias em que ocorrem os vários festivais religiosos durante o ano, mas que muitas vezes também as reuniões podem ser canceladas à última hora devido a uma ocasião especial para a família. Isto não é pouco profissional nem rude. O homem de negócios indiano simplesmente dá grande importância à família e espera que os outros façam o mesmo. De facto, é mais provável que estabeleçam uma ligação com alguém que também valorize a família. Os ocidentais ficam muitas vezes surpreendidos pela importância que muitos empresários indianos atribuem aos pequenos rituais religiosos. Mesmo quando estão com uma pressa tremenda para conseguir apanhar um avião, vão sempre encontrar tempo para fazer algo como parar quando atravessam o Ganges, para lançar uma moeda no rio sagrado.

Na Índia, muitos negócios são dirigidos por famílias – muitos mais do que no Ocidente. Isto não significa que sejam amadores ou de pequena importância. Significa simplesmente que a lealdade para com a família é colocada num plano muito mais elevado do que seria de esperar. Regra geral é bastante comum que o filho siga as pegadas do pai e entre no negócio da família – em todas as camadas da sociedade. Este facto deve-se em parte ao sistema de castas, que, basicamente, garante que os filhos sigam a mesma linha de negócios que os pais. Mas também tem que ver com laços familiares. As pessoas ficariam admiradas se Mukesh Ambani não tivesse regressado mais cedo da Stanford Business School para ingressar na empresa do pai, a Reliance, e não tivesse assumido a presidência quando este faleceu. O mesmo se aplica a Ratan Tata, com a Tata, que também desistiu do curso numa universidade americana para regressar a casa e ocupar o lugar do pai, que na altura estava doente. A lealdade dá-se e espera receber-se, tanto nas maiores multinacionais como na mais pequena loja de rua.

Respeito

Lado a lado com o respeito pela religião e pela família, vem um grau de civilidade que pode por vezes apanhar os ocidentais de surpresa. Muitos outros indianos de mentalidade mais tradicional esperam que os negócios sejam conduzidos de modo educado e muito formal. A informalidade que os ocidentais por vezes tomam como certa é frequentemente percepcionada pelos indianos como um sinal de má educação e desrespeito. Para estabelecer uma boa relação com um parceiro de negócios indiano, para começar precisamos pelo menos de um grau de delicadeza formal que muitos ocidentais considerariam artificial e antipático – mas que para os indianos é simplesmente respeitoso. Só depois de os intervenientes se conhecerem e confiarem um no outro é que provavelmente se deve passar a uma abordagem mais descontraída. É claro que esta não é uma regra fixa, porque muitos indianos, especialmente entre a geração mais jovem, criada à base da MTV e do Star, ficam muito contentes por fazer as coisas de modo espontâneo, à maneira ocidental. Na realidade, alguns recebem um *feedback* positivo por causa desta abordagem. Ainda assim, continua a fazer sentido pecar pela formalidade até que se tenha a certeza.

Do mesmo modo, a agressividade e a frontalidade que por vezes podem parecer dinâmicas e próprias dos empresários no Ocidente, na Índia, podem frequentemente parecer uma simples falta de respeito. Os indianos, em geral, não gostam de estar sujeitos a tácticas de pressão. Em vez de acelerar a conclusão de um negócio, essa atitude poderá fazer com que todo o processo seja destruído. Os indianos não dão grande importância a brilhantes análises estatísticas, planos dinâmicos ou apresentações de PowerPoint deslumbrantes. Pelo contrário, baseiam-se um pouco mais na intuição. Para eles é essencial estabelecer uma ligação e uma relação de confiança. Qualquer sinal de frustração perante atrasos porá o processo em risco, pois enfraquece a confiança.

O respeito é muito importante para os indianos, e qualquer indício de falta de respeito é um verdadeiro obstáculo para a realização de bons negócios. Isto aplica-se até àquilo que os ocidentais podem considerar pormenores. Os indianos esperam sempre que se dirijam a eles revelando o estatuto completo, como Senhor ou Senhora, ou Professor ou Doutor, a não ser que digam à pessoa para não o fazer. Vale realmente a pena darmo-nos ao trabalho de antemão de descobrir se têm mesmo algum título e depois usá-lo. Se não soubermos os nomes, convém usar Senhor ou Senhora. Da mesma forma, quando nos dão um cartão de visita, devemos tratá-lo respeitosamente. Não se deve pô-lo num bolso qualquer, mas sim colocá-lo cuidadosamente num local que mostre que é apreciado. E temos de nos certificar de que aceitamos o cartão com a mão direita.

A delicadeza também pode dar azo a mal entendidos. Muitos indianos não gostam de dizer «não» directamente, porque desapontar alguém é considerado má educação. Por isso, em vez de «não», é provável que digam «veremos...» ou «talvez...». Se ouvirmos este tipo de comentário de não compromisso, podemos ter a certeza quase absoluta de que as coisas não estão nada bem encaminhadas.

Curiosamente, este requisito de delicadeza não implica que as negociações sejam executadas numa atmosfera de trocas de cortesia segredadas. Regatear preços faz parte da cultura indiana, muito mais do que no Ocidente. Muitas vezes os indianos regateiam até nos supermercados. Passam a vida a regatear e têm sempre argumentos. Mas mesmo sendo profundamente argumentativos, raramente são rudes ou indelicados. Um conselho útil, aparentemente, quando se negoceia com um parceiro indiano cheio de argumentos: o melhor é usar o poder do silêncio.

Hierarquias

A natureza extremamente hierárquica da sociedade indiana significa que se tem sempre de prestar a devida deferência à pessoa certa. Se entrarmos numa sala de reuniões e lá estiverem várias pessoas, devemos sempre cumprimentar a pessoa mais velha, mesmo se esta for a que estiver mais afastada de nós. Até porque será sempre a pessoa mais velha quem decide se o acordo vai ser fechado ou não. Se continuarmos a lidar com alguém jovem, podemos ter a certeza de que não vai haver negócio. O aspecto negativo desta deferência é que as pessoas que ocupam cargos menos importantes nunca irão contradizer o chefe ou discordar abertamente dele. Por isso não podemos pensar que, por ficarem em silêncio, concordam com tudo o que ele diz.

A natureza hierárquica das empresas indianas significa que há uma demarcação muito clara dos estatutos e das tarefas. Não é raro que algo tão simples como transportar um computador de uma secretária para outra possa demorar horas ou até dias. Apenas porque essa é uma tarefa do peão (serviçal), e se não estiver nenhum disponível, mais ninguém a fará. A natureza hierárquica das empresas indianas também significa que as pessoas esperam que os superiores os mandem desempenhar tarefas. O conceito ocidental de permitir que alguém novo na empresa desempenhe uma tarefa sozinho e tenha iniciativa própria é raro na Índia. Em termos práticos, isto quer dizer que, se ocuparmos uma posição superior, os outros esperam verdadeiramente que vigiemos o seu trabalho, estabeleçamos prazos e os pressionemos – contudo, de maneira educada, uma vez que esperam que mandemos neles e vão fazer o que pedirmos.

«O Tempo Normal Indiano»

Algo que muitas vezes deixa os ocidentais frustrados quando fazem negócios na Índia é a lentidão, ou melhor, o não cumprimento dos prazos estabelecidos. As entregas e os acordos estão frequentemente sujeitos a atrasos inexplicáveis que surgem do nada, num contrato que parece estar a correr lindamente. As empresas americanas dizem que as empresas indianas têm um entendimento muito diferente do termo «data de envio». Nos EUA, a data de envio é o dia em que o produto sai da fábrica. Na Índia, a data de envio é simplesmente o dia em que o produto está (ou em que possa estar) pronto para sair.

Surpreendentemente para os ocidentais, isto não se deve a uma abordagem apática nem lânguida aos negócios. Na Índia, os atrasos e as interrupções são aceites como parte da vida. Ao contrário do que acontece no Ocidente, os prazos não são tudo. Os programas dependem mais das pessoas e dos acontecimentos do que das planificações. Portanto, se acontecem imprevistos, as planificações mudam, e isso é aceite. Quando estão a trabalhar, os indianos trabalham tão rápida e eficazmente como qualquer outra pessoa no mundo. É por isso que é importante estabelecer de antemão aquilo que se pretende, e fazer visitas frequentes para se ter a certeza de que tudo corre conforme o planeado. Vale realmente a pena pedir educadamente ao parceiro de negócios indiano que tenha em conta os possíveis atrasos e então trabalhar a planificação de acordo com o resultado.

Alguns feriados indianos

Dia da República: 26 de Janeiro
Holi: 15 de Março
Ram Navani: 6 de Abril
Raksha Bandhan: 9 de Agosto
Dia da Independência: 15 de Agosto
Gandhi Jayanti: 2 de Outubro
Idu'l Fitr: 25 de Outubro

Páginas de Internet úteis

Embaixada indiana: Fazer negócios na Índia
www.indianembassy.org/newsite/ Doing_business_In_India
Esta página contém uma variedade de informações úteis e detalhadas sobre tudo, desde o sistema financeiro e fiscal da Índia até aos direitos de propriedade intelectual, zonas económicas especiais e leis de trabalho.

Banco Mundial: Fazer negócios
www.doingbusiness.org
A página do Banco Mundial faculta informação muito útil e detalhada, sobre quão fácil é fazer negócios na Índia, em comparação com outros países, incluindo contratar trabalhadores, candidatar-se a créditos, registar propriedades e por aí fora.

Madaan: Investir na Índia
www.madaan.com/investing.htm
Um guia muito útil, facultado por uma empresa americana de advocacia.

LEITURAS RECOMENDADAS

Índia Contemporânea

Luce, Edward, *In Spite of the Gods*, Little Brown, 2007
Se ler outro livro acerca da Índia, inclua este.

Khilnani, Sunil, *Ideas of India*, Penguin Books, 2003
Shiva, Vandana, *India Divided*, Seven Stories Press, 2005
Smith, David, *The Dragon and the Elephant*, Profile Books, 2007
Tully, Mark, *No Full Stops in India*, Penguin, 1991
Varma, Pavan, *Being Indian*, Arrow Books, 2006

História da Índia

Keay, John, *India, a history*, Harper Perennial, 2004

Ficção

Desai, Anita, *O Jejum e a Festa*, Planeta DeAgostini, 2003
Desai, Kiran, *A Herança do Vazio*, Porto Editora, 2007
Forster, E.M., *Passagem para a Índia*, Europa-America, 1988
Jhabvala, Ruth Prawer, *Heat and Dust*, John Murray, 2003
Mistry, Rohinton, *A Fine Balance*, Faber and Faber, 2006
Naipaul, V. S., *Num País Livre*, Picador, 2001
Naraya, RK *Gods, Demons and Others*, South Asia Books, 1987
Roy, Arundhati, *O Deus das Pequenas Coisas*, Asa, 2005
Rushdie, Salman, *Os Filhos da Meia-Noite*, Companhia das Letras, 2006
Seth, Vikram, *Um Bom Partido*, Grandes Narrativas, 2002
Scott, Paul, *Staying On*, Arrow Books, 1999
Tagore, Rabindranath, *Gitanjali*, 2004
Tagore, Rabindranath, *Selected Poems*, trad. William Radice, Penguin, 2005

ÍNDICE REMISSIVO